人生は
ニャンとかなる!

Life Works Itself Out.

明日に幸福をまねく
68の方法

水野敬也+長沼直樹

もし道に迷ったら、
一番いいのは猫についていくことだ。
猫は道に迷わない。

チャールズ・モンロー・シュルツ

はじめに

約五千年もの昔から、猫は人間の大切なパートナーでした。ネズミを捕《と》って穀物を守るだけでなく、私たちを癒し、楽しませ、ときに思いがけないような発見を与えてくれる存在です。そして本書に登場する68の猫たちも、まるで生きている猫のように私たちを癒し、人生で大切なことを教えてくれます。

寝る場所さえ
あれば大丈夫

You'll be alright if you have a place to sleep.

◀表面

猫が教えてくれる
「大切なこと」

裏面▶

猫が教えてくれる「大切なこと」を、
より深く理解したい人は
裏面を見てください。
裏面には、「大切なこと」に関わる
「偉人エピソード」と
「偉人たちの名言」が載っています。

67 寝る場所さえあれば大丈夫

[ウォルト・ディズニー] ウォルト・ディズニー社創業者 | 1901-1966

今や世界中に知れ渡り、エンターテイメントの代名詞となっているディズニーですが、その道のりは順風満帆というわけではありませんでした。1941年、ディズニースタジオで激しい労働ストライキが起き、スタジオは運営停止に追い込まれそうになります。そのときウォルトは全社員に向けてこう言いました。「この20年で、私は2度全財産を失った。1度目は、ハリウッドに来る前の1923年。お金が無くて3日間何も食べられず、薄汚いスタジオでぼろ布にくるまって眠った。2度目は1928年。兄のロイと私は、会社のために全財産を抵当に入れた。大した額ではなかったが、それでも我々にとってはすべてだった」。ウォルトは真摯《しんし》に労働者と話し合い、このストライキを収めることができました。

大きな仕事を成し遂げるためには、苦しい状況を経験することもあるでしょう。しかし、「夢」と「寝る場所」さえあれば、人は多くの困難を乗り越えられるものです。

偉人たちの名言

足ることを知る者は富めり。
[老子] 古代中国の哲学者 | 紀元前6世紀頃

不自由を常と思えば不足なし。
[徳川家康] 武将・戦国大名 | 1543-1616

生活は簡単に、思想は高く。
[ラルフ・ワルド・エマーソン] 米国の思想家 | 1803-1882

本書はもちろん普通の本としてもお楽しみいただけますが、すべてのページが切り離せる作りになっています。

お気に入りのページを、好きな場所に貼ったり、家族や友人にあげることもできます。

家族や友人に

いつも目につくところに

部下へのアドバイスとして

みんなの見えるところに

本書に登場する猫たちはいつもあなたのそばにいて、
人生に彩りと癒しを与えてくれることでしょう。

もくじ

68の猫は7つのカテゴリーに分けられており、それぞれのカテゴリーに関する「大切なこと」を教えてくれます。裏面の冒頭に数字がふってありますので、最初の「スタート」から読み始めたり、気になるカテゴリーに進んだり、自由な使い方でお楽しみください。

スタート	01-08
仕事	09-25
冒険	26-36
リラックス	37-41
習慣	42-53
コミュニケーション	54-60
希望	61-68

START

スタート

隙があるから、
好きになる

A little clumsiness can be charming.

01 隙があるから、好きになる

［ マリリン・モンロー ］ 米国の女優 ｜ 1926－1962

真っ赤に塗られた唇と口元のホクロがトレードマークのマリリン・モンローは、1953年の『ナイアガラ』のヒットでスターとなりました。この映画の中で「モンロー・ウォーク」と呼ばれる、お尻を振る特徴的な歩き方が注目を集めましたが、実はこれはマリリン自身のアイデアでした。彼女は、右のヒールの高さを左のヒールよりも6mmほど低くすることで体のバランスをわざと崩し、ヒップや腰を使ってバランスを取らなくてはならない体勢にしていたのです。

人は完璧なものを求めているわけではありません。欠点やダメな部分が自分を魅力的に見せてくれることがあります。

偉人たちの名言

優れた所がありながら、疎《うと》んじられる人がおり、
欠点だらけでも好かれる人がいる。

［ ラ・ロシュフコー ］ フランスの貴族 ｜ 1613－1680

欠点の中には美点に結びついているものがあり、
矯正しないほうがよい欠点がある。

［ ジョセフ・ジューベル ］ フランスの哲学者 ｜ 1754－1824

水清ければ大魚なし。

［ 班超 ］ 古代中国の武将 ｜ 32－102

とことんハマろう

Get completely into it.

02

とことんハマろう

[ココ・シャネル] フランスのファッションデザイナー | 1883 - 1971

香水が発明されたばかりのころ、その原料は「花」でした。しかし花を原料とした香水は時間が経つと香りが変わってしまい、また、どの花の香料を使っているかすぐに分かってしまうという欠点がありました。その香水に革命を起こしたのがシャネルです。シャネルは「女心をときめかせる謎めいた香水――香りが変わらず、どんな原料を使っているか分からない香水を作ろう」と考えました。そこでシャネルは香水科学者と一緒に実験室にこもり、処方を何度も検討し、混合物をとりかえ、少しずつシャネルが望んでいる香りに近づけていったのです。こうして最終的には 80 種類にも及ぶ原料がまざりあう深い神秘性を秘めた「シャネル 5」が誕生しました。強い思いを持って追求することが、世界に新しいものを生み出します。

偉人たちの名言

世界史に残るような偉大で堂々たる業績は、
すべて何らかの熱中がもたらした勝利である。

[ラルフ・ワルド・エマーソン] 米国の思想家 | 1803 - 1882

うんと熱中せよ。熱中は熱中を生む。

[ラッセル・コンウェル] 米国の聖職者 | 1843 - 1925

物事に熱中できる人間は、自分と接触する人間を
引きつけてやまない。まるで磁石である。

[アディングトン・ブルース] 米国の作家 | 1874 - 1959

一日一笑

Laugh at least once a day.

03 一日一笑

［ トーマス・エジソン ］ 米国の実業家・発明家 ｜ 1847－1931

エジソンほど「笑顔」を大事にしてきた人物はいないでしょう。彼が耳を悪くして聴こえづらくなった時も「おかげで雑音にわずらわされることなく集中できるようになった」と笑い、ある晩、自分の工場が全焼するという災難に見舞われたときも、エジソンは火事の美しい光景に見とれ、この美しさを父親にも見せてやろうと電話をかけました。さらに、この夜間の火事で、煙に視野がさえぎられて十分な消火活動ができないことに気づいたエジソンは、早速、消防用の強力なサーチライトを考案したのです。エジソンの発明は、彼がどんな苦境に立たされても笑顔を忘れなかったからこそ生まれたものだといえるかもしれません。

日々の暮らしの中では、喜べない出来事もあるでしょう。しかしそんなときこそ、忘れてはならないのが「笑顔」です。

偉人たちの名言

毎日の中で、一番むだに過ごされた日は、
笑わなかった日である。

［ シャンフォール ］ フランスの思想家 ｜ 1740－1794

笑いなき人生は物憂《う》き空白である。

［ ウィリアム・M・サッカレー ］ イギリスの小説家 ｜ 1811－1863

人間はこの世で苦しんでいるので、
笑いを発明せざるを得なかった。

［ フリードリヒ・ニーチェ ］ ドイツの哲学者 ｜ 1844－1900

アピールしなきゃ
パスは来ない

The opportunity won't come unless you ask for it.

04

アピールしなきゃパスは来ない

[マライア・キャリー] 米国の歌手 | 1970－

アメリカのシンガーソングライターであり世界的に有名なマライア・キャリーには、伝説となっている「アピール」があります。マライアはいつもデモテープを持ち歩いており、たまたまパーティ会場で出会ったソニーミュージックの会長、トミー・モトーラにテープを渡しました。すると、彼はパーティ帰りの車の中でデモテープを聴き、急いで引き返してマライアに契約を約束したというものです。

マライアほどの歌声の持ち主であっても、ただ待っているだけではなく常にチャンスをうかがっていたことが分かります。自分の才能をいつでもアピールできる準備を整えておきましょう。

偉人たちの名言

自信ある行動は、一種の磁力を有す。

[ラルフ・ワルド・エマーソン] 米国の思想家 | 1803－1882

皿の上のエサを待つだけが人生じゃないさ。

[チャールズ・M・シュルツ] 米国の漫画家 | 1922－2000

誰かがやるはずだった。自分がその誰かになりたかった。

[カール・ルイス] 米国の陸上競技選手 | 1961－

顔に出てない？

Doesn't your face say it all?

05

顔に出てない？

［ 勝海舟 ］ 武士・政治家 ｜ 1823 - 1899

勝海舟が「青柳」という料理屋に入ったときの話です。店内を見渡すと、女将が掃除をしたり餅を運んだり忙しくしていたので「この店は景気が良いように見える」と言いました。すると女将は「とんでもありません。お店にお金は一文もなく、亭主は金策に出ています」と答え、こう続けました。「人気の呼吸というものは難しいもので、苦しさをお客様や雇い人に見せてしまいますとダメになります」。このとき勝は、外交でも何でもすべてはこの呼吸の中にあると悟り、「大変良い学問をさせてもらった」と手持ちの 30 両を用立てたそうです。

苦しい時も、弱音を吐かず元気に振る舞うこと。それが幸運を呼び込むための秘訣だと言えるでしょう。

偉人たちの名言

黙っていても、顔が声と言葉を持っていることがよくある。

［ オウィディウス ］ 古代ローマの詩人 ｜ BC43 - AD17

人の心は顔に表れる。だから ABC の読めない人でも、
顔を見れば性格を読み取れるのだ。

［ トーマス・ブラウン ］ イギリスの作家・医師 ｜ 1605 - 1682

顔色や容貌《ようぼう》を、いきいきと明るく見せることは、
人間としての基本的なモラルである。

［ 福沢諭吉 ］ 慶応義塾創設者 ｜ 1835 - 1901

みんなで見る夢は
一味違う

A shared dream means even more.

06

みんなで見る夢は一味違う

[華岡青洲《はなおかせいしゅう》] 江戸時代の外科医 | 1760 - 1835

世界初の全身麻酔による手術を成功させた華岡青洲ですが、麻酔薬の開発は彼一人の手によるものではありませんでした。青洲の母・於《お》継《つぎ》と妻・加恵は麻酔効果を試す薬の実験台を志願し、その後遺症で加恵は失明してしまいます。さらに青洲の親族を始めとした10数名が薬の開発のために身体を差し出したといわれています。こうして麻酔薬の開発に成功した青洲は、143名の乳がん患者を手術し多くの命を救いました。

一人で見る夢ではなく、多くの仲間と共に見る夢が、偉大な業績を生み出します。

偉人たちの名言

一人で見る夢は、それは夢にしか過ぎない。
しかし、みんなで見る夢は現実となる。

[エドゥアルド・ガレアーノ] ウルグアイのジャーナリスト | 1940 - 2015

才能で試合に勝つことはできる、だが
チームワークと知性は優勝に導くんだ。

[マイケル・ジョーダン] 米国のバスケットボール選手 | 1963 -

ともに泣くことの楽しさほど、人々を結びつけるものはない。

[ジャン=ジャック・ルソー] フランスの思想家 | 1712 - 1778

一度サボるとクセになる

Slack off even once and it becomes a habit.

07

一度サボるとクセになる

［ 孟子 ］ 古代中国の儒学者 ｜ BC372 頃 - 289

儒学の大家であり「性善説」を主張したことで有名な孟子は、教育熱心な母に育てられました。ある日、勉強するのが嫌で家に帰ってきてしまった孟子は、「学問はどこまで進みましたか?」と母にたずねられました。孟子は申し訳なさそうに、「前と変わりません」と答えました。すると、それを聞いた母は機《はた》織《お》りの仕事を止めて、作っていた織物を刀で切り裂いてしまったのです。驚いた孟子が理由をたずねると、母はこう言いました。「お前が勉強を途中でやめてしまうのは、私がこうやって織物を途中で切り裂いてしまうのと同じことです」。母の言葉に反省した孟子は、それから朝から晩まで勉強につとめたということです。

　一度怠けてしまうと、継続していたやる気を失ってしまうことがあります。緊張感を持って日々の作業に臨みましょう。

偉人たちの名言

鉄も使わないと錆《さ》びる。怠惰もまた、心の活力を奪ってしまう。

［ レオナルド・ダ・ヴィンチ ］ イタリアの芸術家 ｜ 1452 - 1519

怠慢は魅力的に見えるけど、
満足感を与えてくれるのは働くことよ。

［ アンネ・フランク ］ 『アンネの日記』著者 ｜ 1929 - 1945

「そのうちやる」という名の通りを歩いて行き、行き着くところは
「なにもしない」という名札のかかった家である。

［ セルバンテス ］ スペインの作家 ｜ 1547 - 1616

見えないところに
ヒーローはいる

In places unseen, a hero is there.

08 見えないところにヒーローはいる

[ダグラス・プラッシャー]　米国の分子生物学者 ｜ 1951 -

1980 年代後半、ダグラス・プラッシャーはアメリカがん協会の奨学金でクラゲの蛍光タンパク質の研究を行っていました。そして 3 年後に蛍光タンパク質の複製に成功した彼は、自分の発見を他の科学者に知らせて成果を共有し、その中にマーティン・チャルフィーもいました。そして、その後もプラッシャーは蛍光タンパク質の研究を続けるつもりでいましたが、奨学金をもらうことができず、職を失ってしまいます。2008 年 10 月、チャルフィーと下村脩、ロジャー・チェンは蛍光タンパク質の功績によりノーベル賞を受賞しましたが、そこにプラッシャーの名前はありませんでした。そのとき、自動車販売店で顧客を送迎する運転手をしていたプラッシャーは、こう語ったそうです。「自分が研究を続けられない状態にあったのだから、複製した蛍光タンパク質の遺伝子をチャルフィーに渡しておいて本当によかった」と。

プラッシャーのような、光の当たらない場所にいるヒーローが世界を支えています。

偉人たちの名言

本当に価値のあるものは野心や義務感からではなく、
人間に対する愛と献身から生まれます。

[アルベルト・アインシュタイン]　ドイツの物理学者 ｜ 1879 - 1955

縁の下の力持ちになることを厭《いと》うな。
人のためによかれと願う心を常に持てよ。

[前島 密《ひそか》]　官僚・政治家 ｜ 1835 - 1919

たとえ空が雲におおわれていても、
太陽はその陰でいつも輝いている。

[ロングフェロー]　米国の詩人 ｜ 1807 - 1882

WORK

仕事

スキマに、チャンスがある

Opportunity in a small space.

09 スキマに、チャンスがある

［ 井深大《まさる》 ］ SONY 創業者 ｜ 1908－1997

戦後まもない 1946 年、現在のソニーの前身である「東京通信工業」の設立式で、創業者の井深大が 20 数名の従業員に向けてこう言いました。「大きな会社と同じことをやったのでは、我々はかなわない。しかし、技術の隙間はいくらでもある。我々は大会社にはできないことをやり、新しい技術でもって祖国復興に役立てよう」。この言葉通りにソニーは他にない技術を開発し、みるみる成長していきます。ソニーのヒット商品にウォークマンがありますが、このアイデアを思いついたのも当時名誉会長だった井深でした。録音機能のないテーププレーヤーなど売れるわけがないと反対する人間が大半だったといいますが、井深はそのスキマの必要性をいち早く見抜き、商品化に乗り出したのです。

　どんな分野にも、まだ誰も手をつけていない場所があります。そして、そこに宝は埋まっているのです。

偉人たちの名言

始まりは、どんなものでも小さい。

［ キケロ ］ 古代ローマの政治家 ｜ BC106－43

独創的なものは、初めは少数派である。
多数というものは独創ではない。

［ 湯川秀樹 ］ 物理学者 ｜ 1907－1981

（今現在、最も恐れている挑戦者は？と訊《き》かれて）
「どこかのガレージで、まったく新しい何かを生み出している連中だ」

［ ビル・ゲイツ ］ マイクロソフト社創業者 ｜ 1955－

「まかせとけ」が似合う人へ

Make it a habit to say, “I’ll take care of it”.

10

「まかせとけ」が似合う人へ

[ケビン・コスナー] 米国の俳優 | 1955 -

歌手のホイットニー・ヒューストンは、映画『ボディガード』のオファーが来たとき悩んでいました。この仕事で失敗したら、自分のファンはがっかりするだろうし、何よりも映画の現場を経験したことがなかったからです。こうして彼女は、オファーを受けるかどうか２年近く悩んだのですが、彼女のそばで励まし続けたのは、まさに映画でボディーガード役を務めたケビン・コスナーでした。彼はホイットニーに、「これは君にしかできない役だ。僕が助けるから心配しないでついてくれれば大丈夫」と言い、演技を勉強しようか迷っていた彼女に「今の君のままで良いんだ。台詞を言うときはブラシやコップを持って言えば緊張しないし、僕が君をうまく誘導する」と励ましたそうです。こうしたケビンの行動によってホイットニーはオファーを受けることを決心し、『ボディガード』は大ヒット作となりました。

自信を持って「任せておけ」と言える人に、人はついていくものです。

偉人たちの名言

偉人の価値は責務にある。

[ウィンストン・チャーチル] イギリスの政治家・作家 | 1874 - 1965

上司の権威をつけるための最良の方法は、
部下が困っている仕事を解決してあげることである。

[バルザック] フランスの小説家 | 1799 - 1850

リーダーとは「希望を配る人」のことだ。

[ナポレオン・ボナパルト] フランスの軍人 | 1769 - 1821

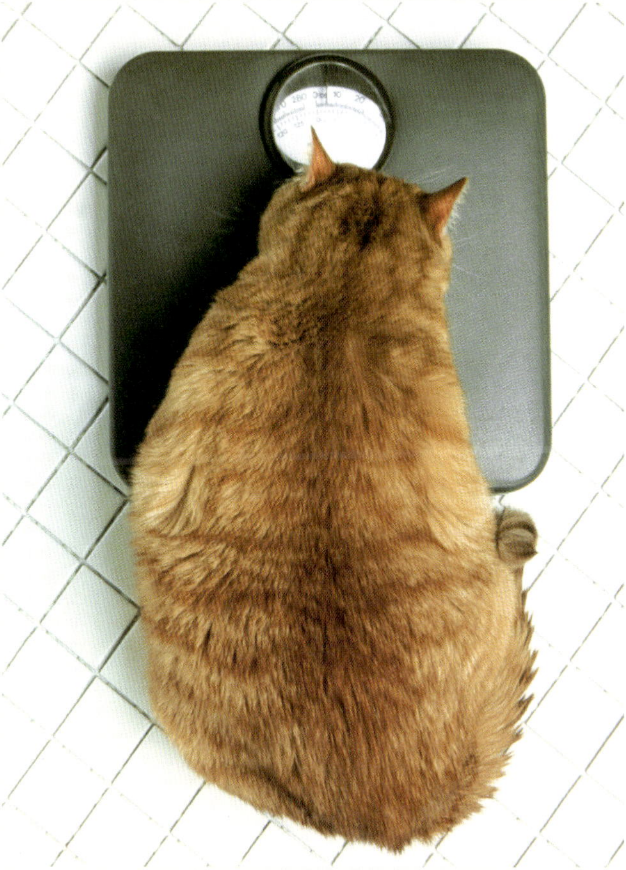

現実から目をそらさない

Don’t look away from reality.

11

現実から目をそらさない

［ アンドルー・グローヴ ］ 米国の実業家 ｜ 1936－

半導体メーカーのインテルは1970年代にメモリチップ事業を独占しましたが、すぐに続々と競合他社が参入してきました。そして1980年代前半には、日本企業がインテルよりも高品質のメモリチップを開発し、その商品がすぐさま市場を席巻したのです。そのときアンドルー・グローヴは、インテル創業者であるゴードン・ムーアにこうたずねました。「もし我々がクビになって新しいCEOがこの会社にやってきたら、彼は何をするだろう？」。ゴードンはすぐさまこう答えました。「メモリチップから撤退するに決まっている」。するとグローヴは言いました。「会社を辞めたつもりで一緒にドアから出て、また戻ってこないか。そして、新しいCEOがやるだろうことを僕たちがやろう」。こうして、インテルは本当にメモリチップ事業から撤退し、マイクロプロセッサ事業にフォーカスし、息を吹き返すことになったのです。

現実を直視することは大きな痛みを伴います。しかし、そうすることでやるべきことが見えてくるのです。

偉人たちの名言

私は現実をしっかりと見据えた理想主義者でありたい。
［ ロバート・ケネディ ］ 米国の政治家 ｜ 1925－1968

自分の姿をありのまま直視する、それは強さだ。
［ 岡本太郎 ］ 芸術家 ｜ 1911－1996

起こったことをあるがままに受け入れよ。
それが不幸な結果を克服する第一歩である。
［ ウィリアム・ジェームズ ］ 米国の心理学者 ｜ 1842－1910

たくさんの「耳」を持とう

I'm all "ears".

Note: "Ears" in Japanese mean bread crust.

12 たくさんの「耳」を持とう

[樋口廣《ひろ》太郎] アサヒビール元社長 | 1926 - 2012

樋口廣太郎が社長に就任した当時、アサヒのビール市場シェア率は万年３位で「夕日ビール」と揶揄《やゆ》されていました。樋口はその原因を探るため、ライバルであるキリンビールとサッポロビールの会長を直接訪ね、「どこが悪いかを教えてほしい」と頭を下げてアドバイスを求めました。また、苦情こそが最も大切な情報であるとして、酒屋を訪ねては不満や要望を聞いて回ったのです。こうした彼の「人の意見を徹底的に聞く」行動により、アサヒは『スーパードライ』などのヒット商品を生み出し、みるみる業績を伸ばしました。

樋口は「ビールに関しては素人だった」と認めていたからこそ改革ができたと言います。自分の考えにとらわれず、人の意見に耳を傾けられる人に成功は訪れます。

偉人たちの名言

自然は人間に一枚の舌と二つの耳を与えた。
だから人は話すことの二倍だけ聞かねばならない。

[ゼノン] 古代ギリシャの哲学者 | BC490 頃 - 430 頃

あなたの顧客の中で、一番不満を持っている客こそ、
あなたにとって一番の学習源なのだ。

[ビル・ゲイツ] マイクロソフト社創業者 | 1955 -

賢者は聞き、愚者は語る。

[ソロモン] 古代イスラエルの王 | BC1011 - 931

獲《と》れたらラッキー
くらいのつもりで

Just think “lucky if I catch it”.

13

獲《と》れたらラッキーくらいのつもりで

［ アントン・チェーホフ ］　ロシアの劇作家 ｜ 1860－1904

『かもめ』などの代表作で知られるロシアの劇作家・チェーホフは、19歳のころ、モスクワ大学で医者になるべく勉強をしていました。経済的に苦しかった彼は生活費の足しになればと、ある大衆雑誌に小話を投稿し始めます。読み易い笑える話を書いては小遣いを稼ぎ、本業の医者として働くようになってからもその「アルバイト」を続けました。しかし､ロシアの重鎮作家･グリゴローヴィチに「あなたには真の芸術というべき素晴らしい作品を生み出す力があります。類まれなその才能を浪費してはいけません」と手紙で諭《さと》され、本格的な創作に臨むようになるのです。

　まずは軽い気持ちでチャレンジすることから始めてみましょう。思いがけず、大きなチャンスを掴むことがあります。

偉人たちの名言

賢い者は、機会を見つける以上に、機会を多く創る。

［ フランシス・ベーコン ］　イギリスの哲学者 ｜ 1561－1626

行動は必ずしも幸福をもたらさないかもしれないが、
行動のないところに幸福はない。

［ ベンジャミン・ディズレーリ ］　イギリスの政治家 ｜ 1804－1881

決心する前に、完全に見通しをつけようとする者は、
決心することはできない。

［ アンリ・フレデリック・アミエル ］　スイスの詩人 ｜ 1821－1881

頼るのは恥じゃない

No embarrassment in depending on others.

14

頼るのは恥じゃない

［ **カール・マルクス** ］　ドイツの思想家・経済学者 ｜ 1818－1883

マルクスがロンドンで『資本論』の１巻を書いているとき、友人であり共同研究者のエンゲルスはマンチェスターにいました。その理由は、子どもがたくさんいるマルクスの生活費を助けるために、出稼ぎに行っていたのです。マルクスが資本論の１巻を書き終えたとき、エンゲルスはマルクスにこんな手紙を送っています。「あなたの活力が不足しないよう、とりあえず２ポンド紙幣を７枚だけ同封します。合計35ポンドになるよう、追加で送金するつもりです」。マルクスも負い目を感じるのではなく、エンゲルスに報いるためにも仕事に全力を尽くしました。不運にもマルクスは『資本論』を書いている途中に亡くなってしまいますが、エンゲルスはマルクスの遺志を継ぎ、遺稿を元に『資本論』の２巻と３巻を完成させました。

　自分ができることにベストを尽くし、できないことは人の力を借りましょう。そうすることが、最終的には多くの人のためになるのです。

偉人たちの名言

人間は、優れた仕事をするためには、自分一人でやるよりも、他人の助けを借りるほうが良いものだと悟ったとき、偉大なる成長を遂げる。

［ アンドリュー・カーネギー ］　米国の実業家 ｜ 1835－1919

私は、自分の頭はもちろん、拝借し得る限り
他人の頭も総動員する。

［ ウッドロウ・ウィルソン ］　第28代米国大統領 ｜ 1856－1924

我々を救ってくれるもの、それは友人の助けそのもの
というよりは、友人の助けがあるという確信である。

［ エピクロス ］　古代ギリシャの哲学者 ｜ BC341－270

先手必勝

Victory goes to the swiftest.

15　先手必勝

［ ジェフ・ベゾス ］ Amazon 創業者 ｜ 1964 -

ジェフ・ベゾスは 1994 年に通販の Amazon.com を創業しました。はじめのころは電子メールで注文を受けて商品を発送する方式で、従業員は 4 人、パソコンは 1 台だけ、ジェフ・ベゾス自ら梱包作業をしていました。そうした事業を続ける中で、ベゾスは「今よりもネットショッピングが普及するためには、ワンクリックで買い物できるようになる必要がある」と考えました。そして 1999 年、「ワンクリック特許」を獲得したのです。現在では当たり前の技術ですが、インターネットが広く普及する前にこの特許を取ったことは大きく、Amazon は通販サイトの主流に上りつめました。この特許は今でも生きており、アップルの iTunes store にも採用されています。

　最初に行動を起こした者が、次の展開を有利に進めることができます。

偉人たちの名言

先んずれば人を制す。

［ 司馬遷 ］ 古代中国の歴史家 ｜ BC145 頃 - 87 頃

スピードこそが企業にとって最も重要になる。

［ ビル・ゲイツ ］ マイクロソフト社創業者 ｜ 1955 -

最初の一撃が闘争の半分だ。

［ オリヴァー・ゴールドスミス ］ イギリスの劇作家 ｜ 1730 - 1774

摩擦を恐れない

Don’t fear conflict.

16

摩擦を恐れない

［ スティーブ・ジョブズ ］ アップル創業者 ｜ 1955－2011

アップルを創業したスティーブ・ジョブズは議論を恐れない人でした。あるとき、開発中のマッキントッシュの起動時間を短くするように命じ、難色を示すエンジニアに対しても説得するのをやめませんでした。「仮に起動時間を10秒短くするだけで人の命が救えるなら、そうするか?」と問い、こう続けました。「世界中でマックを使う人が500万人いた場合、1日10秒、余計な時間がかかると年間3億時間ほどの違いになる。言い換えれば、1年間で100人分以上の人生に相当する時間を節約できるんだ」。この言葉に刺激を受けたエンジニアは、その後の数週間で起動時間を28秒も短縮したといいます。

より良いものを創るためには、意見を戦わせることを恐れてはいけません。

偉人たちの名言

本音を言って衝突できるというのは、健全なことだ。
それは、われわれが進歩した証拠なのだ。

［ マハトマ・ガンディー ］ インドの弁護士・社会運動家 ｜ 1869－1948

対立、大いに結構。正反対、大いに結構。これも一つの自然の理ではないか。対立あればこその深みである。妙味である。

［ 松下幸之助 ］ 松下電器創業者 ｜ 1894－1989

二人の人間がビジネス上の問題で常に同意しているとしたら、片方は不要である。

［ ウィリアム・リグレー・ジュニア ］ 米国の実業家 ｜ 1861－1932

本物と偽物を
見極めよう

Know the difference between what is real and what is fake.

17 本物と偽物を見極めよう

［ デイヴ・トーマス ］ ウェンディーズ創業者 ｜ 1932－2002

デイヴ・トーマスが、まだインディアナ州のレストランで料理長を務めていたころの話です。ある日、レストランの外に大きな車が停まり、年配の男性が降りてきました。その男性はカーネル・サンダースで、彼は「チキンをおいしくたべる秘密のレシピを持っているから厨房で調理したい」と申し出ました。当時、このカーネルの申し出は断られることも多かったのですが、トーマスは快く応じます。そして、作られたチキンを食べた彼は「指までなめたくなるほどおいしい」と感動し、すぐにオーナーに働きかけました。その結果、オーナーはカーネルの倒産寸前のレストランチェーンを買収し、経営の立て直しを任されたトーマスは、今やケンタッキーでおなじみとなった赤と白のバケツ型容器を導入したのです。こうしてケンタッキーは持ち直し、トーマスは 100 万ドルという大金を手にしました。そして、数年後──トーマスはその資金を元手に「ウェンディーズ」を創業したのです。本物を見極める目が、人生を大きく好転させることがあります。

偉人たちの名言

人はしばしば偽物の方を称賛し、本物をあざける。

［ アイソーポス ］ 古代ギリシャの寓話作家 ｜ BC619－564 頃

宝石は、たとえ泥の中に落ちても、依然として貴重であり、埃《ほこり》は天へ上ったとしても、依然としてつまらない。

［ サアディー ］ イランの詩人 ｜ 1184－1291

時代を上手に生きるポイントは、本物と付き合うこと。

［ 松下幸之助 ］ 松下電器創業者 ｜ 1894－1989

技を盗め

Steal others' moves.

18

技を盗め

[ダスティン・ホフマン] 米国の俳優 | 1937 -

ハリウッドの名優として有名なダスティン・ホフマンは、アカデミー賞の授賞式でこんなスピーチをしたことがあります。「私はハンフリー・ボガートの熱烈なファンだった。彼に憧れて俳優になろうと思い、タバコの吸い方から帽子のかぶり方、何から何までボガートの真似をしたよ。つまり私は、ボガートを真似して真似して、ダスティン・ホフマンになったんだ」。

オリジナリティとは天から与えられた特別な才能だと考える人もいるかもしれません。しかし優れた先人たちから技を学び、吸収することで、その人だけのオリジナリティを生むことができるのです。

偉人たちの名言

何もまねしたくないなんて言っている人間は、何も作れない。

[サルバドール・ダリ] スペインの画家 | 1904 - 1989

愚者は己の経験に学び、賢者は他人の経験に学ぶ。

[オットー・フォン・ビスマルク] ドイツの政治家 | 1815 - 1898

他の人の書いたものを読んで、自己を向上させよ。
他の人が苦労して得たものをそれで容易に得ることが出来る。

[ソクラテス] 古代ギリシャの哲学者 | BC469 - 399

競争って、楽しかったはず

Competition was supposed to be a lot of fun.

19 競争って、楽しかったはず

［ タイガー・ウッズ ］ 米国のゴルフ選手 ｜ 1975－

タイガー・ウッズの父は、ゴルフの練習にゲーム性を取り入れるのが上手でした。たとえばタイガーがまだ子どものころ、パットを入れる競争だけを何時間もやることにしたのです。ホールから90cm離れたところにボールを置き、どちらが連続でパットを入れ続けられるかで勝負しました。そしてタイガーが70回連続でパットを沈める間、父はずっと誇らしい気持ちで待ち続けたといいます。練習のあとは決まってクラブハウスに入り、タイガーはチェリーコークを、父はお酒を飲みながら互いの労を称えました。タイガーは父のこうした教育に感謝し、「父との練習で一番よかったことは、ゴルフの楽しさが学べたことだ。楽しんでいるときは上達が早い」と語っています。

誰かと楽しく競争することで、人は大きく成長することができます。

偉人たちの名言

すべて物に励むには競うということが必要であって、
競うから励みが生ずるのである。

［ 渋沢栄一 ］ 官僚・実業家 ｜ 1840－1931

いままでずっと強力な競争相手と戦ってきたので、
競争相手がいないとどうしていいかわからなくなる。

［ ウォルト・ディズニー ］ ウォルト・ディズニー社創業者 ｜ 1901－1966

あらゆる競争相手を研究しろ。欠点は探すな。長所を探せ。

［ サム・ウォルトン ］ ウォルマート創業者 ｜ 1918－1992

すべての色に
役割がある

There is a role for every color.

20

すべての色に役割がある

［ 松下幸之助 ］ 松下電器創業者 ｜ 1894－1989

経営の神様と呼ばれた松下幸之助は、人間を熟知していました。彼の部下に酒好きでケンカ早い人物がいたのですが、松下はその人物に先端事業を任せようとして周囲から反対されたとき、こう答えました。「あいつには悪いところもあるけれど、優れたところもある。よく働くものはよく食うものだ。飯を食うなと言うと働かなくなるよ」。しかし、松下は個性的な人間ばかりを集めていたわけではありません。個性だけでは集団は成り立たないと考え、一見何の特徴もないような人にもどんどんチャンスを与えていきました。松下は日ごろから周囲の人にこう言っていました。「すべての部下が偉く見える。私より学問ができ、才能があるからだ」。

どんな人にも、その人にしかできない役割があります。その役割を見抜いたとき、強いチームを作ることができるのです。

偉人たちの名言

全ての人には個性の美しさがある。

［ ラルフ・ワルド・エマーソン ］ 米国の思想家 ｜ 1803－1882

我々は、組織が一人ひとりの人間に対して位置と役割を与えることを、当然のこととしなければならない。

［ ピーター・ドラッカー ］ オーストリアの経営学者 ｜ 1909－2005

お互いの長所欠点をよく知り合い、そして欠点を補い合う。そこから共同の仕事の発展が生まれる。

［ 松下幸之助 ］ 松下電器創業者 ｜ 1894－1989

お金だけ見てません？

Is money all you can see?

21

お金だけ見てません？

［ 白瀬矗《のぶ》 ］ 軍人・南極探検家 ｜ 1861－1946

日本人で初めて南極大陸に到着した白瀬矗。彼は当時、世間から「小さな漁船で南極に向かうのは無謀過ぎる」と笑われていました。加えて、政府からの援助金が乏しかったので、白瀬はお金を集めるために家を手放し、軍服や刀など売れるものはすべて売ったそうです。世界的に有名なノルウェーの探検家・アムンゼンが来日した際、白瀬に会いに来たのですが、白瀬は着ていくものがなく浴衣に夏羽織という格好で出かけたという逸話があります。しかし、大きな夢を持って目指した南極という場所は、彼の人生を充実したものにしてくれたでしょう。

「好きなことをやる」というのはよく言われますが、それでも人は生活するためにお金を見てしまいがちになります。今の自分は本当に好きなことをやれているか、折に触れ振り返ってみましょう。

偉人たちの名言

単なる金儲けは昔から嫌いだ。何かをしたい、何かを作りたい、何かを始めたい、昔から金はそのために必要なものでしかなかった。

［ ウォルト・ディズニー ］ ウォルト・ディズニー社創業者 ｜ 1901－1966

人間は金銭を相手に暮らすのではない。
人間の相手はつねに人間だ。

［ アレキサンドル・プーシキン ］ ロシアの作家 ｜ 1799－1837

金はよい召使でもあるが、悪い主人でもある。

［ フランシス・ベーコン ］ イギリスの哲学者 ｜ 1561－1626

身を削る覚悟

The courage to embrace hardship.

22

身を削る覚悟

［ マリ・キュリー ］ ポーランドの化学者・物理学者 ｜ 1867－1934

マリ・キュリーは、まさに研究に「身を捧げた」人でした。40年の研究生活で彼女が生涯にあびた放射線量は200シーベルト。これは通常の生活の6億倍です。8年に及んだラジウム抽出実験で手や指に放射線でひどい火傷を負い、特に右手の指の火傷はひどく、ペンを持つこともできませんでした。その激痛をやわらげるために、四六時中親指と他の指をこすりあわせ、ラジウムの分離に成功してロンドンの科学学会のレセプションに招かれたときも、手や指先が痛くてドレスを自分で着ることができなかったといいます。

彼女ほど身を削った努力ができる人は少数だと思いますが、偉大な仕事とは、犠牲を払う覚悟と執念によって成し遂げられるのです。

偉人たちの名言

多くの犠牲と苦労を経験しなければ、
成功とは何かを決して知ることはできない。

［ マハトマ・ガンディー ］ インドの弁護士・社会運動家 ｜ 1869－1948

人間は運命に挑戦する。一度はすべてを提供し、身を危険に
さらさなければ、代償として大きな幸福と大きな自由は得られない。

［ モンテルラン ］ フランスの作家 ｜ 1895－1972

何を切り捨てるべきかを知ること。それを知恵という。
何かを手放す必要がある時に、それを手放せるだけの
明晰さと強さを持つこと。それを勇気という。

［ ヴィルヘルム・ミュラー ］ ドイツの詩人 ｜ 1794－1827

NOと言える大人に

Be mature enough to say No!

23

NOと言える大人に

［ 高杉晋作 ］ 長州藩士 ｜ 1839－1867

イギリスとの戦争に敗れた長州藩は、講和大使として高杉晋作を選びました。交渉の場に現れたイギリスのクーパー提督は、山口県の南端にある「彦島」を租借したいと言いましたが、高杉は烈火のごとく怒りました。というのも、高杉はその２年前に上海で西洋の租借地の様子を見ていたからです。「犬と中国人入るべからず」と書かれた立て看板を見て、このままだと日本もいずれこうなってしまうと危機感を募らせていました。高杉は、場合によっては相手を斬り、自分も自害するほどの覚悟で交渉に臨んでいたといいます。高杉の気迫に圧《お》されたクーパー提督は彦島の租借をあきらめましたが、もしこのとき高杉が「ＮＯ」を突きつけなければ、今日の日本の近代化は無かったとまでいわれています。

　皆と仲良くする「和」を大切にする私たちですが、大切なものを守るためには、「ＮＯ」の姿勢を貫くことも必要です。

偉人たちの名言

きっぱりと、心の底から発した「ＮＯ」という言葉は、
相手に合わせて、ましてや面倒を避けるためについ言ってしまった
「ＹＥＳ」に比べたら、はるかに価値のある言葉である。

［ マハトマ・ガンディー ］ インドの弁護士・社会運動家 ｜ 1869－1948

世の中に悪が栄えるのは、我々が「ノー」という
勇気をもたないためである。

［ サミュエル・スマイルズ ］ イギリスの作家 ｜ 1812－1904

気持ちよく断ることは、半ば贈り物することである。

［ ブーテルヴェク ］ ドイツの哲学者 ｜ 1766－1828

謝るときは心から

Apologies should come from the bottom of your heart.

24

謝るときは心から

[エイブラハム・リンカーン] 第16代米国大統領 | 1809-1865

リンカーンが20歳のころの出来事です。アルバイト先で仕事を終え、1日の売り上げを数えていると、現金が3セント多いことに気づきました。リンカーンは売り上げ帳の数字を見ながらお客の顔を順番に思い浮かべていき、誰が多く払いすぎたかを思い出しました。するとリンカーンはすぐに戸締りをして店を飛び出し、走りながら家のネームプレートを見て確かめて、1時間ほどしてから婦人客の家を見つけました。そしてリンカーンは「気づかずにすみません」と3セントを渡したそうです。婦人客は感動し「その気持ちをずっと忘れないでいてください」と答えました。──そして、実際にこの誠実さを持ち続けたリンカーンは、アメリカ史上最高の大統領という栄誉を手にしました。

誠実で素直な心は、必ず人の心を動かします。

偉人たちの名言

誠意や真心から出たことばや行為は、それ自体が尊く、相手の心を打つものです。

[松下幸之助] 松下電器創業者 | 1894-1989

もし自分が間違っていたと素直に認める勇気があるなら、災いを転じて福となすことができる。

[デール・カーネギー] 米国の著述家 | 1888-1955

自分の過ちを認めることほど難しいものはない。事態を解決に導くには、素直に自分の落ち度を認めるのが何よりである。

[ベンジャミン・ディズレーリ] イギリスの政治家 | 1804-1881

親友より、戦友

Bonding through a common battle.

25　親友より、戦友

［ラリー・ペイジ］［サーゲイ・ブリン］　Google 創業者 ｜ ともに 1973 –

Google の共同創業者である、ラリー・ペイジとサーゲイ・ブリンはスタンフォード大学で知り合いました。最初はそれほど仲が良くなかったものの、インターネットの情報検索について「もっといいやり方があるはずだ」と考えが一致し、共に研究を進めることになります。こうして研究にのめりこんだ彼らは大学を休学し、1998 年に Google を創業。友人の家のガレージを借りて、そこで寝食を共にしながら働きました。当時を知る教授は彼らについてこう言っています。「二人はほかの学生と比べて取り立てて優秀というわけではなかった。特別なことといえば、彼らは大胆だった」。そして、二人が大胆な行動を取ることができたのは、共に戦う仲間を見つけられたからなのでしょう。

プライベートを充実させる友人も大切ですが、強い使命を共有する仲間はあなたの人生を輝かせてくれます。

偉人たちの名言

仕事は仲間をつくる。

［ゲーテ］　ドイツの劇作家 ｜ 1749–1832

逆境における仲間は、苦難を軽くする。

［トーマス・フラー］　イギリスの神学者 ｜ 1608–1661

人は互いの助けがあれば、ずっと簡単に必要なものを準備できる。
そして力を合わせれば、あらゆるところで襲ってくる危険を
もっと簡単に避けられる。

［スピノザ］　オランダの哲学者 ｜ 1632–1677

ADVENTURE

冒険

無理してでも
旅に出よう

Go out of the way to see the world.

26

無理してでも旅に出よう

［ マーク・トウェイン ］ 米国の作家 ｜ 1835-1910

『トム・ソーヤーの冒険』で知られるアメリカの小説家マーク・トウェインがまだフリーライターだったころ、パリの万博や地中海、エジプトなどを回る旅行ツアーの存在を知りました。しかし、参加できるのは富裕層ばかりで、一介のフリーライターであるトウェインには手の出ない金額でした。しかしどうしても旅に出たかった彼は、新聞社に頼み込んで「世界各地から50回、通信記事を送る」という約束をもとに、参加費用を全額負担してもらったのです。彼の旅行記はのちに本にまとめられ、大評判となりました。彼が晩年に完成させる小説は、どれもみずみずしく冒険心にあふれたものですが、そういった感性は旅の中で磨かれたものだといえるでしょう。

旅には、ときに私たちの想像を超えるような素晴らしさがあります。予定を立て準備するのは大変ですが、多少の無理を押してでも旅に出ましょう。

偉人たちの名言

旅は真正な知識の偉大な泉である。

［ ベンジャミン・ディズレーリ ］ イギリスの政治家 ｜ 1804-1881

僕は断言しますが、旅をしない者は――少なくとも芸術や学問に携わる人間の場合は――実にあわれむべきです。

［ モーツァルト ］ オーストリアの作曲家 ｜ 1756-1791

自己探求の旅に目的があることは良いことだ。
しかし、結局、大切なのは旅そのものなのである。

［ アーシュラ・K・ル＝グウィン ］ 米国のファンタジー作家 ｜ 1929-

背伸びしなきゃ
見えない景色がある

Only by stretching yourself will you see a new view.

27 背伸びしなきゃ見えない景色がある

［ スティーブン・スピルバーグ ］ 米国の映画監督 ｜ 1946－

世界的な映画監督のスピルバーグが大学生だったころの話です。彼は当時から自主制作映画を撮っていましたが、なんとか実際の撮影現場を見たいと考えていました。そこで、ユニバーサルスタジオが主催していたガイドツアーに参加し、ツアーの途中でこっそり乗り物から降り、ツアーが終わるまでスタジオの陰に隠れていたのです。その後、彼はスーツを着こんでブリーフケースを持ち、まるでその場で働いているかのように振る舞いました。さらに映画関係者たちに話しかけて仲良くなり、使われていない部屋を見つけると案内板に自分の名前をのせてその部屋を自分用に使っていたといいます。こうして知り合ったユニバーサルの製作部長に自分の自主制作映画を見せ、彼はスタジオと契約を結ぶことに成功しました。

思い切った行動を取ることで、失敗したり、恥ずかしい思いをすることもあるでしょう。しかし、今の自分を超える行動が、新しい景色を見せてくれます。

偉人たちの名言

常に大きな視野を持ち、自分ができることよりさらに高い目標を持ちなさい。あなた自身を越えるよう努力するのです。

［ ウィリアム・フォークナー ］ 米国の小説家 ｜ 1897－1962

人というものは、自分自身よりも高く、優れた物差しや手本を見つめる心がない限り、決して、自分を変えようなんて思いもしない。

［ トライオン・エドワーズ ］ 米国の神学者 ｜ 1809－1894

誰もが自分自身の視野の限界を、
世界の限界だと思い込んでいる。

［ ショーペンハウアー ］ ドイツの哲学者 ｜ 1788－1860

脱・箱入り娘

Come out from a protected world.

28

脱・箱入り娘

［ フローレンス・ナイチンゲール ］ イギリスの看護教育学者 ｜ 1820－1910

白衣の天使として有名なナイチンゲールは、「戦場で苦しんでいる人達の世話をしたい」という信念のために、あらゆることを捨て去りました。彼女は裕福な地主の家に生まれましたが、「上流階級の奥方になっては、看護師の活動ができない」と３度されたプロポーズを全て断ってしまいます。また、名声を得た後は講演の依頼が殺到しましたが、自分が学んだ看護のことを後輩に伝えるため、講演依頼を断って執筆に専念しました。

ナイチンゲールほど自分の信念を強く持つことは難しいかもしれませんが、安全で守られた場所に留まらず、自分の気持ちに真っ直ぐ生きましょう。

偉人たちの名言

人生は冒険、大胆に挑みなさい。

［ マザー・テレサ ］ インドの修道女 ｜ 1910－1997

安心、それが人間の最も近くにいる敵である。

［ ウィリアム・シェイクスピア ］ イギリスの劇作家 ｜ 1564－1616

人は運命に囚われているのではない。
自分の心に囚われているのだ。

［ フランクリン・ルーズベルト ］ 第 32 代米国大統領 ｜ 1882－1945

遠慮なんかしなくていい

No need to hold back.

29　遠慮なんかしなくていい

［ 御木本幸吉 ］　ミキモト創業者 ｜ 1858－1954

真珠の養殖とブランド化で富を成した御木本幸吉が、まだ真珠貝の養殖に苦心を重ねていたころの話です。彼は伊勢神宮に詣《もう》でたことがあったのですが、参拝中、「どうすれば天然真珠のように美しい真珠を作り出せるだろう」と没頭していたので、虎の子の50 銭をお賽銭として間違えて入れてしまいました。普通の人であればあきらめてしまう場面かもしれませんが、御木本は境内《けいだい》の衛士に「お金を返してもらいたい」と頼み込み、衛士からは「あなたを疑うわけではないが前例がない」と断られたものの、粘り強く交渉して返してもらいました。御木本にとって、その場で恥をかくことよりも真珠の養殖を成功させるためのお金の方が大事だったのです。このお金を真珠養殖の設備投資に使って成功した御木本は、お返しとして伊勢神宮に多額の寄付をしました。

自分にとって優先順位が分かっているときは、遠慮する必要はありません。自信を持って一番大切なものを選びましょう。

偉人たちの名言

最も後悔されることは何か？　遠慮ばかりしていたこと、
己の本当の欲求に耳を貸さなかったこと。

［ フリードリヒ・ニーチェ ］　ドイツの哲学者 ｜ 1844－1900

あなたが遠慮しても世界の役には立たないのだ。まわりの人が
気後れしないようにと、あなたが身を縮めることは何の美徳でもない。

［ ネルソン・マンデラ ］　南アフリカ共和国の政治家 ｜ 1918－2013

世界は君達に大きく開かれている。どしどし遠慮なく進むがいい。
大地は広々とつづき、空は広大無辺にひろがっている。

［ ゲーテ ］　ドイツの劇作家 ｜ 1749－1832

自分のキャラを壊そう

Be a different character from time to time.

30

自分のキャラを壊そう

［ ヨハン・ゼバスティアン・バッハ ］ ドイツの作曲家 ｜ 1685－1750

『G線上のアリア』などで知られる作曲家バッハには、養わねばならない子どもがたくさんいました。そこで、少しでも収入を増やそうと、本業とは別のアルバイトを積極的にしました。他の音楽家たちはプライドが高く仕事を選んでいましたが、バッハは依頼を受ければどんな仕事もやり、たとえば市の名士の葬式用の曲を作ったり、当時の最新の飲み物であるコーヒーの効用を讃えた『コーヒー・カンタータ』のようなCMソングも作曲したのです。そして、これらの幅広い仕事が様々な作曲家に影響を与え、のちに「音楽の父」と呼ばれるほどになりました。

　自分で自分のイメージを固定してしまうと、可能性を閉ざすことになります。これまで経験していない分野にも、積極的に挑戦してみましょう。

偉人たちの名言

人が変わるためには、自分についての意識を
変えることが必要だ。

［ アブラハム・マズロー ］ 米国の心理学者 ｜ 1908－1970

革新の鍵は捨てることにある。

［ ピーター・ドラッカー ］ オーストリアの経営学者 ｜ 1909－2005

鳥は卵から無理に出ようとする。卵は世界だ。
生まれようとする者は、ひとつの世界を破壊せねばならぬ。

［ ヘルマン・ヘッセ ］ ドイツの作家 ｜ 1877－1962

ゆずれない道がある

A path you can’t give up.

31

ゆずれない道がある

[リチャード・バック] 米国の作家・飛行家 | 1936－

リチャード・バックは、自由に空を飛ぶことを夢見て大学を中退し空軍に入りました。しかし、若手は飛行機に乗れないと知って2年で除隊。続いて、民間の航空会社に入り念願の操縦士になりましたが、そこに彼の思い描いた自由は無く、11ヵ月で退社してしまいます。それでも、鳥のように空を飛ぶ夢を追い続けた彼は、カモメを主人公にした小説『かもめのジョナサン』を書き上げ、大ベストセラー作家となりました。その作品の中でリチャード・バックはこう語っています。「他のものは全部捨てなさい。そして、自分の愛するものだけを追求しなさい」。

自分の中に強いこだわりがあるときは、人に合わせる必要はありません。周囲に惑わされることなく、信念を貫きましょう。

偉人たちの名言

決断とは、目的を見失わない決心の維持にほかならない。

[ドワイト・アイゼンハワー] 第34代米国大統領 | 1890－1969

たとえ100人の専門家が「あなたには才能がない」と言ったとしても、その人たち全員が間違っているかもしれないじゃないですか。

[マリリン・モンロー] 米国の女優 | 1926－1962

わが行く道に茨《いばら》多し　されど生命の道は一つ
この外に道なし　この道を行く

[武者小路実篤《むしゃのこうじさねあつ》] 小説家 | 1885－1976

小声なら愚痴。
叫べばロック。

Gotta say something... then shout it out!

32

小声なら愚痴。叫べばロック。

［ ガリレオ・ガリレイ ］ イタリアの物理学者・天文学者 ｜ 1564－1642

「地動説」で有名なガリレイですが、彼は若いころから歯に衣着せぬ物言いで「ケンカ屋」と呼ばれていました。ガリレイがピサ大学に赴任したころ、教授たちは既成事実の受け売りばかりしていたので、ガリレイは徹底的に抗戦しました。その最たるものが、当時、誰一人疑っていなかった「重いものほど早く下に落ちる」というアリストテレスの落下理論の批判です。その後もガリレイは地動説で宗教裁判所に告発され、彼の地動説関連の著作が全て発禁書となりました。1632 年には『天文対話』を出版し、2回目の宗教裁判にかけられ自宅に幽閉の身になりますが、1638 年、密かに大作『新科学対話』を完成させオランダで出版します。しかし、この本もすぐに発禁書となりました。こうしてガリレイは、生涯にわたって既成理論に染まった体制と戦い続けたのです。

もし組織や体制が間違っているのだと感じたら、陰で愚痴を言うのではなく、思い切って声を上げることも必要です。

偉人たちの名言

恐れてはならない。君の心に響く、小さな声を信じ給《たま》え！

［ マハトマ・ガンディー ］ インドの弁護士・社会運動家 ｜ 1869－1948

しり込みするのは小心者のすることだ。だが不動の心を持ち、
良心の命じるままに行動する者は、死に至るまで
自分の主義を貫き通すことだろう。

［ トマス・ペイン ］ イギリスの政治哲学者 ｜ 1737－1809

自分自身であることに、人間の偉大なる誇りがある。

［ ウォルト・ホイットマン ］ 米国の詩人 ｜ 1819－1892

ハングリーでいこう

Be hungry.

33

ハングリーでいこう

[アーネスト・シートン]　イギリスの博物学者 ｜ 1860 - 1946

『シートン動物記』の作者として知られるシートンは、学生時代、博物学者になることを夢見ていました。彼がイギリスの学校に通っていたとき、「大英博物館」の図書館には世界中のあらゆる博物学の本が集まっていると聞き、胸踊らせて足を運びました。しかし、未成年であることを理由に入館を断られてしまいます。あきらめきれないシートンは館長に直談判をしますが、「評議員の許可があれば別だが……」と、やはり断られました。そこでシートンは、今度は地元の評議員に手紙を書いて熱意を伝えます。すると 2 週間後、異例の措置で入館許可がおりたのです。「一生懸命、勉学に励むように」という評議員からのメッセージも添えられていました。

自分の望むものを貪欲《どんよく》に求めましょう。そうすることで必ず道は開けます。

偉人たちの名言

真に有能な人の特質は、決して自分に満足しないところにある。

[プラウトゥス]　古代ローマの劇作家 ｜ BC254 - 184

満足した愚か者よりも、不満足なソクラテスになる方がよい。

[ジョン・スチュアート・ミル]　イギリスの経済学者 ｜ 1806 - 1873

現状に満足した若者しかいない社会は発展しない。

[トーマス・エジソン]　米国の実業家・発明家 ｜ 1847 - 1931

世界はネットじゃ
味わえない

The world cannot be experienced through the Internet.

34

世界はネットじゃ味わえない

［ アンリ・ファーブル ］ フランスの昆虫学者 ｜ 1823－1915

『ファーブル昆虫記』で有名なアンリ・ファーブルは、元々は教師をしていました。彼は、忙しい教師生活の合間を縫って、昆虫や植物の標本をコレクションしていましたが、あるとき雑誌に載っていたタマムシの論文に触発され、生きた昆虫を「直接」観察して行動の謎を探りたいと考えます。その後、55 歳から 91 歳までの間、彼は大自然の中で自分の目で観察したものだけを元に『ファーブル昆虫記』を完成させました。その行動学的な研究手法は、後世の科学発展に大きな影響を与えたといわれています。

本当の知識とは、自分の目や耳で直接触れたときに身につくものです。現実世界で経験する機会を増やしましょう。

偉人たちの名言

自分の経験は、どんなに小さくても、
百万の他人のした経験よりも価値のある財産である。

［ レッシング ］ ドイツの思想家 ｜ 1729－1781

真実の多くは、個人的に経験して初めて
心の底から理解できる。

［ ジョン・スチュアート・ミル ］ イギリスの経済学者 ｜ 1806－1873

障子を開けてみよ。外は広いぞ。

［ 豊田佐吉 ］ TOYOTA グループ創業者 ｜ 1867－1930

踊らされるより、踊ろう

Dance your own dance.

35

踊らされるより、踊ろう

［ 十返舎一九《じっぺんしゃいっく》 ］ 江戸時代の戯作者 ｜ 1765－1831

『東海道中膝栗毛』などの滑稽《こっけい》本で知られる十返舎一九ですが、彼は文筆業だけで生計を立てようとしていたのでいつも貧乏でした。長屋暮らしをしながら、明日食べる米も無い有様で、わずかにあった家具もすべて質屋に入れてしまいました。しかし彼は落ち込むことはなく、自宅の部屋の白い壁に、床の間や花生け、たんす、ちがい棚、さらには違う部屋への出入り口を描いたのです。初めて彼の家を訪れた人は本物と見間違えて驚き、そのあと大笑いしたといいます。

苦しい環境に身を置いたとしても、その中で楽しみ、自由に生きる強さを身につけましょう。

偉人たちの名言

いつも楽しく暮らすように心がければ、外的環境から完全に、あるいはほとんど解放される。

［ スティーヴンソン ］ イギリスの小説家 ｜ 1850－1894

私は賢さからくる無関心よりは、熱中した馬鹿さかげんのほうが好きだ。

［ アナトール・フランス ］ フランスの詩人 ｜ 1844－1924

自信ある自己流は、自信なき正統派に優る。

［ アーノルド・パーマー ］ 米国のプロゴルファー ｜ 1929－

未知なる道へ

Explore the “undiscovered” path.

36

未知なる道へ

［ フレッド・スミス ］ フェデックス社創業者 ｜ 1944－

フェデラル・エキスプレスは、世界215ヵ国で営業し、600機以上の輸送用航空機を持つ世界最大規模の航空貨物輸送会社です。そして創業者のフレッド・スミスの頭の中には、フェデラル・エキスプレスの構想がかなり早い段階からありました。大学の経済学のクラスでその原案となる内容をレポートとして提出していたのです。しかし、教授から下された判定はC（日本の大学では「可」）。にも関わらず、フレッドは教授の判定を無視して、迅速に荷物を配達するシステムを完成させました。ちなみに、大学時代に書いたフレッドのレポートは、現在もフェデックスの本社に飾られてあるといいます。

新しいものであればあるほど、正しく評価できる人間は少なくなります。他人の評価を気にすることなく、まだ誰も行ったことのない道を進みましょう。

偉人たちの名言

もし、あなたが成功したいのなら、踏みならされ受け入れられた成功の道を行くのではなく、新たな道を切り開きなさい。

［ ジョン・ロックフェラー ］ 米国の実業家 ｜ 1839－1937

もともと地上には道はない。歩く人が多くなれば、それが道になるのだ。

［ 魯迅《ろじん》 ］ 中国の小説家 ｜ 1881－1936

私たちは前進を続け、新しい扉を開き、新たなことをなし遂げていく。なぜなら、好奇心旺盛だからだ。好奇心があればいつだって新たな道に導かれる。

［ ウォルト・ディズニー ］ ウォルト・ディズニー社創業者 ｜ 1901－1966

RELAX

リラックス

肩の力を抜こう

Just loosen up the shoulders.

37

肩の力を抜こう

[アルベルト・アインシュタイン]　ドイツの物理学者 | 1879 - 1955

ニュージャージー州のプリンストンに、プリンストン高等研究所があります。これはアメリカで最も有名な研究機関であり、アインシュタインも 1933 年から亡くなる 55 年まで、この研究所のメンバーとして過ごしました。そして、この研究所に語り継がれている彼のエピソードがあります。それは他の研究者たちが必死で研究を続ける最中、アインシュタインの研究室からは、ときどき調子はずれのバイオリンの音が漏れ聞こえたということです。この演奏をしていたのはアインシュタインで、彼は研究に行き詰まるとよくバイオリンを弾いていたのでした。

目的に向かってストイックに努力することも大事ですが、ときには肩の力を抜いてリラックスしてみましょう。

偉人たちの名言

精神には休養を与えねばならぬ。絶えず緊張を加えれば、精神の飛翔《ひしょう》を妨げることになる。

[セネカ]　古代ローマの哲学者 | BC1 - AD65

少し食べ、少し飲み、そして早くから休むことだ。これは世界的な万能薬だ。

[ドラクロワ]　フランスの画家 | 1798 - 1863

疲れた人は、しばし路傍《ろぼう》の草に腰をおろして、道行く人を眺めるがよい。人は決してそう遠くへは行くまい。

[イワン・ツルゲーネフ]　ロシアの小説家 | 1818 - 1883

そんなに悩むこと？

Worth worrying that much?

38 そんなに悩むこと？

［ ヨハネス・グーテンベルグ ］ ドイツの金属加工職人 ｜ 1395－1468

世界で初めて活版印刷を考案したのはグーテンベルグですが、彼が生きた時代は、本を一冊ずつ手書きで筆写していました。そこで、グーテンベルグは活版印刷を使えば素晴らしい知識を多くの人達に伝えることができると期待しましたが、一方で、価値のない本も簡単に印刷できてしまうことに不安を覚えていました。そのことに悩んだ彼は、活版印刷の公表を踏みとどまってしまいます。それから長い年月が流れ、悩んだ末にグーテンベルグは活版印刷を公開しました。その結果、活版印刷は世界の文明発展に大きく寄与し、ルネサンス期の三大発明に数えられるまでになりました。

　何が起きるか思い悩むより、行動を起こしてから考えた方が良い結果を生むことがあります。

偉人たちの名言

私がこれまで思い悩んだことのうち、
98 パーセントは取り越し苦労だった。

［ マーク・トウェイン ］ 米国の小説家 ｜ 1835－1910

あることを真剣に三時間考えて自分の結論が正しいと思ったら、
三年間かかって考えてみたところでその結論は変わらない。

［ フランクリン・ルーズベルト ］ 第 32 代米国大統領 ｜ 1882－1945

絶望的な状況はない。絶望する人間がいるだけだ。

［ ハインツ・グデーリアン ］ ドイツの軍人 ｜ 1888－1954

たまには贅《ぜい》沢《たく》しよう

Good to splurge from time to time.

39

たまには贅《ぜい》沢《たく》しよう

[リチャード・ブランソン]　ヴァージングループ創業者 | 1950 -

大物実業家には豪邸がつきものですが、ブランソンがマナーハウス（貴族の屋敷を宿にした宿泊施設）を手に入れたのはずいぶん早い時期で、1971 年──彼がまだ 21 歳のときでした。雑誌をなにげなくめくっていたブランソンは、16 世紀に建てられたマナーハウスに目を奪われ、その金額を値切りに値切り、さらに叔母からお金を借りて無理やり手に入れたのです。マナーハウスを手に入れた彼は、すぐさま設備の整ったレコーディングスタジオに改装し、そこでポール＆リンダ・マッカートニー夫妻、ローリング・ストーンズ、ボーイ・ジョージなどがレコーディングしてヒット曲を生み出しました。

節約や貯蓄ももちろん大切ですが、本当に価値があるものには、お金を惜しまないようにしましょう。

偉人たちの名言

人間生活にはムダなものがかなりあるが、そのムダなもののために情緒が生まれ、うるおいができ、人の心がなごむようなものがある。

[遠藤周作]　小説家・エッセイスト | 1923 - 1996

浪費するのを楽しんだ時間は、浪費された時間ではない。

[バートランド・ラッセル]　イギリスの哲学者 | 1872 - 1970

贅沢に価格は必要ではない。
心地よさそのものが贅沢である。

[ジェフリー・ビーン]　米国のファッションデザイナー | 1927 - 2004

言葉より、スキンシップ

Loving touch speaks louder than words.

40 言葉より、スキンシップ

［ 本田宗一郎 ］ HONDA 創業者 ｜ 1906－1991

自分の好きなことをやり、豪放《ごうほう》な人生を送った本田宗一郎ですが、彼は亡くなる直前の真夜中、妻に「自分を背負って病室の中を歩いてほしい」と頼みました。宗一郎の妻は、点滴をぶら下げた彼を背負い、ゆっくりと歩いて回ったそうです。そして宗一郎は「満足だった」という言葉を残して亡くなりました。彼の親友でもあったソニーの井深大はこう述懐しています。「外で好き勝手なことをやっていられたのも、本田さんがいつも奥様に心から甘え、頼っていらっしゃったからでしょう。最後まで奥様に甘えることができた本田さんは本望だったろうと思うのです」――そして本田が最後に妻に望んだのは、背負ってもらうというスキンシップでした。

人は、言葉以上に肌の触れ合いを求める生き物です。

偉人たちの名言

あなたが百人の人に微笑みかければ、百人の心が和み、
あなたが百人の手を握れば、百人の人が温もりを感じます。

［ マザー・テレサ ］ インドの修道女 ｜ 1910－1997

働くお母さんたちは、出かける前に
子どもを 8 秒間抱きしめてあげなさい。

［ 井深大 ］ SONY 創業者 ｜ 1908－1997

人と握手する時、その手は無言のうちに
さまざまなことを伝えてくれる。

［ ヘレン・ケラー ］ 米国の社会福祉活動家 ｜ 1880－1968

終わったことは、

洗い流そう

Wash away what is already done.

41 終わったことは、洗い流そう

［ ロバート・ブルース ］ スコットランド国王 ｜ 1274－1329

ロバート・ブルースはスコットランドの王様で、イングランドと６度戦い６度敗れました。最後の戦いに敗れたときに家臣とも離れ離れになり、山奥に一人で落ちのび「我が王家もここまでか……」とため息をつきました。そして、ふと軒《のき》端《ば》を見るとそこには１匹のクモがいました。クモは巣を作ろうとしていたのですが風が強く、糸を目的の場所につけることができませんでした。そしてロバートが見ていると、６度試みて６度とも失敗していたのです。「お前も私と同じ失敗の苦しみを味わわなくてはならないのか」。そう思ったロバートですが、クモは６度の失敗にもまったくこたえず７度目に糸を送り、見事に目的の場所に糸を絡みつけ巣を作り始めたのです。それを見たロバートは、もう一度王家復興のために情熱を燃やし始めたと言います。

失敗したことに囚われると挑戦の活力が奪われてしまいます。終わったことは洗い流し、新たな挑戦へと向かいましょう。

偉人たちの名言

時間がそれを軽減し、和らげてくれないような
悲しみは一つもない。

［ キケロ ］ 古代ローマの政治家 ｜ BC106－43

よい記憶力は素晴らしいが、
忘れる能力はいっそう偉大である。

［ エルバート・ハバード ］ 米国の教育者 ｜ 1856－1915

賢者は現在と未来について考えるだけで手一杯であるから、
過ぎ去った事柄をくよくよ考えているひまがない。

［ フランシス・ベーコン ］ イギリスの哲学者 ｜ 1561－1626

HABIT

習慣

誘惑は
目に入らない場所へ

Place temptations out of sight.

42 誘惑は目に入らない場所へ

[ウィリアム・スミス・クラーク] 米国の教育者 | 1826 - 1886

「少年よ、大志を抱け」という言葉で有名なクラーク博士。彼が教頭を務めていた札幌農学校では、お酒を飲んで問題を起こす生徒が絶えませんでした。クラークは生徒たちに注意をしようと思いましたが、なかなか説得力を持って諭《さと》すことができませんでした。……というのも、彼もお酒が大好きで、アメリカから日本に来るときに１年分の葡萄《ぶどう》酒をあらかじめ用意してきていたからです。そこでクラークは模範を示すために、生徒の前でその酒瓶を並べ、すべて割って処分しました。その上で「諸君らも自分を律するように」と言ったのです。すると生徒たちもお酒で問題を起こすことはなくなりました。

努力を邪魔する誘惑は、見えないところに追いやってしまいましょう。

偉人たちの名言

私は、敵を倒した者より、自分の欲望を克服した者の方を、より勇者と見る。自らに勝つことこそ、最も難しい勝利だからだ。

[アリストテレス] 古代ギリシャの哲学者 | BC384 - 322

人間にとって、苦悩に負けることは恥辱ではない。むしろ快楽に負けることこそ恥辱である。

[ブレーズ・パスカル] フランスの哲学者 | 1623 - 1662

快楽におぼれる人生ほどつまらない生活は思い当たらない。

[ジョン・ロックフェラー] 米国の実業家 | 1839 - 1937

無駄使い、やめよう

Let's stop being wasteful.

43 無駄使い、やめよう

[ジョン・ロックフェラー]　米国の実業家 | 1839-1937

ロックフェラーは石油事業で大成功を収めたあとも、安料理店で昼食をとっていました。メニューはいつも決まったもので、食事を済ませると35セントの食事代金とボーイへのチップを15セント払っていました。しかし、ある日ボーイが差し出したお釣りが間違っていたのでロックフェラーは誤りを指摘し、ボーイへのチップを10セント減らしました。するとボーイは言いました。「もし私があなたほどの大金を持っていたら10セントを出し惜しむようなことはしませんが」。するとロックフェラーはこう答えたのです。「君に10セントを大切にする心がけがあったとしたら勘定を間違えることはなかったはずだし、今よりもっと良い給料をもらっているだろう」。

お金を大切にする、モノを大切にする──これは、いつの時代も語り継がれる成功の習慣であるといえそうです。

偉人たちの名言

僅少《きんしょう》の失費をつつしめ。水の漏《も》る小さな穴が巨船を沈める。

[ベンジャミン・フランクリン]　米国の政治家 | 1706-1790

節約なくしては誰も金持ちになれないし、
節約する者で貧しい者はない。

[サミュエル・ジョンソン]　イギリスの文学者 | 1709-1784

小利を顧《かえり》みるは、すなわち大利なり。

[韓非《かんぴ》]　古代中国の思想家 | BC280-233

苦手を克服する快感

The joy of conquering fear.

44

苦手を克服する快感

［ ウィリアム・グラッドストン ］ イギリスの政治家 ｜ 1809－1898

数学が苦手だったグラッドストンは学生時代、父親にこんな手紙を出しました。「できれば数学のない大学に編入したい」。彼の父親は豪商で、下院議員でもあったので息子の願いをかなえることはできましたが、父親はこう言いました。「お前は数学が嫌いだそうだが、嫌いな学科に全力を注ぐことは最も楽しいことだ。不得意なものを征服することは、お前が将来出会うことになるかもしれない、より大きな困難を征服する大切な修練になる」。グラッドストンは 85 歳で政界から退くまでに 4 度首相になりましたが、彼は過去を回顧してこう語っています。「もし学生時代に父親の勧告を受け入れてなかったら、今の自分はなかった」。

長所を伸ばすのも大切ですが、苦手を克服する快感も経験してみましょう。それはあなたの大きな強みになるはずです。

偉人たちの名言

人間の最も偉大な力とは、そのひとのいちばんの弱点を克服したところから生まれてくるものである。

［ デイヴィッド・レターマン ］ 米国のコメディアン ｜ 1947－

困難な何事かを克服するたびに、私はいつも幸福を感じます。

［ ベートーヴェン ］ ドイツの作曲家 ｜ 1770－1827

もし自分の弱みとされる部分に立ち向かわなければならなくなったら、私はそれを強みに変えるやり方でやってきた。

［ マイケル・ジョーダン ］ 米国のバスケットボール選手 ｜ 1963－

自分を客観的に見よう

Looking objectively at one's self.

45 自分を客観的に見よう

［ ハワード・シュルツ ］ スターバックスコーポレーション最高経営責任者 ｜ 1953－

2008 年、スターバックスの CEO ハワード・シュルツは会社の現状を率直に分析し、スターバックスをスターバックスたらしめている「ロマンチックで劇的な要素」が失われつつあると考えました。それを防ぐには原点回帰しなければならないと考えた彼は、ある火曜日の午後、スターバックス全 7100 店舗を閉め――これにより会社は 600 万ドル分の収益を犠牲にしましたが――13 万 5000 人のバリスタに向けて、完璧なエスプレッソコーヒーを淹《い》れるための講習を実施したのです。その結果、スターバックスの株価は 2008 年から 2011 年にかけて 400 パーセントという上昇率を記録しました。

自分を客観的に見ることは勇気を必要とします。しかし、その勇気こそが新たな成長へと導いてくれるのです。

偉人たちの名言

人生のほとんどすべての不幸は、
自分に関するあやまった考えをするところから生じる。

［ スタンダール ］ フランスの作家 ｜ 1783－1842

全世界を知っておのれ自身を知らぬ者がある。

［ ラ・フォンテーヌ ］ フランスの詩人 ｜ 1621－1695

鏡は自《うぬ》惚《ぼ》れの醸造器である如く、
同時に自慢の消毒器である。

［ 夏目漱石 ］ 小説家・英文学者 ｜ 1867－1916

練習以上の
ことは出ない

Unable to perform beyond what you've practiced.

46 練習以上のことは出ない

［ フランクリン・ルーズベルト ］ 第32代米国大統領 ｜ 1882－1945

演説の天才と呼ばれていたルーズベルトは、ある新聞記者に演説を頼まれたときこう言いました。「明日であれば、今からまだ20時間あるから、15分間の演説ならできそうだ」。新聞記者は不思議に思いたずねました。「たった15分の演説をするのに20時間も必要なのですか？」。しかし、ルーズベルトは原稿用紙1枚分の演説に、1時間かけて考えるのを基本としていたのです。1枚の原稿は1分の演説にあたり、睡眠に5時間はあてるべきだとしたルーズベルトは、合計で20時間必要だと考えたのでした。そして実際に、他の面会を一切断って原稿を書き、演説ではいつもどおり人々を感動させました。

天才とは秀でた才能を指す言葉ではありません。周到な準備をして、相手の前で完璧なサービスを見せられる人が天才と呼ばれるのです。

偉人たちの名言

成功の秘訣は、何よりもまず、準備すること。

［ ヘンリー・フォード ］ フォード・モーター社創業者 ｜ 1863－1947

偶然は準備のできていない人を助けない。

［ ルイ・パスツール ］ フランスの化学者 ｜ 1822－1895

一日練習しなければ自分に分かる。二日練習しなければ批評家に分かる。三日練習しなければ聴衆に分かる。

［ アルフレッド・コルトー ］ フランスのピアニスト ｜ 1877－1962

「!」はどこにでもある

Surprises are everywhere.

47

「!」はどこにでもある

［ ピタゴラス ］ 古代ギリシャの数学者・哲学者 ｜ BC582－496

「三平方の定理」で知られる数学者のピタゴラスが、古代ギリシャの街を歩いていたときの話です。街にはいつも、鍛冶職人たちが金属を叩く音が響いていましたが、それが気持ち良く響くときと、不快に聞こえるときがありました。その理由を突き止めようと、ピタゴラスは叩くハンマーの重さを調べたところ、気持ち良く響くときは、ハンマー同士の重さの比率が「2対1」や「3対1」など、綺麗な割合になっていることに気づいたのです。これが、和音の原理の発見でした。彼は数学のみならず、哲学においても後世に大きな影響を与えた人物ですが、こうした身近な場所でも着想を得ていたのです。

あなたが普段何気なく目にしているものの中にこそ、新たな発見が埋まっています。

偉人たちの名言

驚きは人類の最上の部分である。

［ ゲーテ ］ ドイツの劇作家 ｜ 1749－1832

発見の旅とは、新しい景色を探すことではない。
新しい目で見ることなのだ。

［ マルセル・プルースト ］ フランスの作家 ｜ 1871－1922

真理の大海は、すべてのものが未発見のまま、
私の前に横たわっている。

［ アイザック・ニュートン ］ イギリスの自然哲学者 ｜ 1642－1727

健康診断を
さぼらない

Don't skip your health checks.

48　健康診断をさぼらない

［ 徳川家康 ］　武将・戦国大名 ｜ 1543－1616

江戸幕府の礎《いしずえ》を築いた徳川家康は、医者も顔負けの薬の知識があったといわれています。万病丹《まんびょうたん》や金液丹《きんえきたん》などの薬を自ら調合し、医者が見放した家光の病を治したこともあるそうです。「鷹狩をすれば農民たちの様子が分かるし、何より体を激しく動かせる」という理由で鷹狩に行き、水泳、馬術、弓術、剣道も頻繁《ひんぱん》に行い、健康には常に気を遣っていました。幼少期は織田家の人質として取られ、秀吉が天下を取ったあともじっと機会をうかがうことができたのは、この健康に対する高い意識があったからだといえるでしょう。

大きな夢や、高い目標を達成するためには、健康への配慮を怠ってはいけません。

偉人たちの名言

健康の維持は義務である。

［ ハーバート・スペンサー ］　イギリスの哲学者 ｜ 1820－1903

健康で、借金がなくて、しっかりした意識があるという
幸福以外に、いったい何が必要だというのだ。

［ アダム・スミス ］　スコットランドの経済学者 ｜ 1723－1790

人間の体は機械と同じ。きちんと動かすためには
日ごろの手入れが大切である。少しでも故障したら、
必ず修理してメンテナンスを怠らないことだ。

［ トーマス・エジソン ］　米国の実業家・発明家 ｜ 1847－1931

時間を守る人は、
信頼される

Person who is on time is a person who can be trusted.

49　時間を守る人は、信頼される

［ ベンジャミン・フランクリン ］　米国の著述家・政治家　｜　1706－1790

フランクリンが書店の店主をしていたとき、「値引きをしろ」と言う客がいました。店員が「うちは値引きをしていません」と断ると、客は「店主を出せ」と言ってきました。そしてフランクリンを見るなり「2ドルは高いから値引きしろ」と迫りました。するとフランクリンはこう言いました。「では、2ドル50セントになります」。客は怒って「冗談を言うな。本当はいくらだ？」。するとフランクリンは「3ドルです」と答えてこう続けました。「時間はお金です。私としても先ほど2ドルで買っていただいた方が時間を損しなかったのですが……」。この言葉に納得した客が3ドル払おうとすると「ご理解いただけたのなら2ドルで結構です」と2ドルを受け取りました。

　フランクリンは時間を厳守した人として有名ですが、知らず知らずのうちに相手の時間を奪っていないか注意しましょう。時間は、自分にとっても相手にとっても、貴重な財産なのです。

偉人たちの名言

時間厳守は王の礼儀である。

［ ルイ18世 ］　フランスの国王　｜　1755－1824

時間の価値を知らない者は、生まれながらに栄光には向いていない。

［ ヴォーヴナルグ ］　フランスの思想家　｜　1715－1747

遅れることあらじ、黄金の瞬時は滅ぶ。

［ ロングフェロー ］　米国の詩人　｜　1807－1882

一段飛ばし
なんて出来ない

Can't skip any steps.

50　一段飛ばしなんて出来ない

[ジェームズ・ガーフィールド]　第20代米国大統領 ｜ 1831 - 1881

アメリカの大統領、ガーフィールドが大学生だったころ、同じクラスに数学の成績が抜群に良い生徒がいました。負けずぎらいのガーフィールドは必死に勉強したのですが、どうしてもその学生より優れた成績が取れませんでした。そんなある日のこと、彼が勉強を終えてベッドに入ろうとしたとき、ふとその学生の部屋に目を向けました。するとその学生の部屋には明かりがついており、そのまま見ていると10分ほどして暗くなったのです。そのときガーフィールドは思いました。「そうだ。この10分だ」。こうして彼は次の日から10分間多く勉強して遅く寝るようにし、数学でトップの成績を取ったそうです。ガーフィールドは当時を振り返ってこう言います。「あの『10分間を利用する』これがすべての仕事において成功を収める秘訣だ」。

一足飛びに結果を求めるのではなく、毎日、着実に努力する習慣をつけましょう。

偉人たちの名言

たいていのものは何かで代用できるが、
勤勉さに代わるものはない。

[キングスレイ・ウォード]　カナダの実業家 ｜ 1932 - 2014

ゆうゆうと焦らずに歩む者にとって長すぎる道はない。
辛抱強く準備する者にとって遠すぎる利益はない。

[ラ・ブリュイエール]　フランスの思想家 ｜ 1645 - 1696

努力しない天才よりも、努力する鈍才のほうが
よけいに仕事をするだろう。

[ジョン・オーブリー]　イギリスの作家 ｜ 1626 - 1697

敵にも手を差し伸べよう

Lend a hand even to your enemy.

51　敵にも手を差し伸べよう

［ ビル・ゲイツ ］　マイクロソフト社創業者 ｜ 1955－

1997年、スティーブ・ジョブズが復帰した直後のアップルは経営に行き詰まっており、銀行口座には2週間分の運転資金しか残っていませんでした。しかし、この状況に救いの手を差し伸べた人物がいます。それがアップルと永らくライバル関係にあった、マイクロソフトのビル・ゲイツでした。当時、両社は著作権において10年以上も裁判を続けており、決していい関係とはいえませんでしたが、ゲイツは1億5千万ドルの出資とマック用のオフィスソフトを開発することを約束しました。ゲイツはこう言っています。「うちの社内にはマックの開発が好きなグループがいましたし、我々はマックが好きでした」。ジョブズはゲイツの支援に感謝し、「君のおかげで世界は少し良くなるはずだと思う」と電話で伝えました。

敵対する関係であっても、助け合うことで新しい価値を生み出すことができます。

偉人たちの名言

復讐する時、人はその仇敵《きゅうてき》と同等である。
しかし、これをゆるす時、彼は仇敵よりも上になる。
［ フランシス・ベーコン ］　イギリスの哲学者 ｜ 1561－1626

敵を許したことのない者は、
人生における崇高《すうこう》な喜びを味わっていない。
［ ヨハン・カスパー・ラヴァター ］　スイスの詩人・神学者 ｜ 1741－1801

握りこぶしをつくっていたら、握手はできません。
［ ゴルダ・メイア ］　イスラエルの政治家 ｜ 1898－1978

つらいときは、
試されているとき

Tough times are when one is being tested.

52 つらいときは、試されているとき

［ ネルソン・マンデラ ］ 南アフリカ共和国の政治家 ｜ 1918－2013

反アパルトヘイト運動により27年間を刑務所で過ごしたネルソン・マンデラ。彼が暮らした独房は一般的な白人家庭のバスルームより狭く、奥行きはマンデラの足で3歩、幅は2歩半しかありませんでした。しかし、その状況でもマンデラは、看守の白人を近くで観察できる良い機会だととらえました。「看守に働きかけて、自分への扱いに敬意をもたせてみよう。それがうまくいけば、いつか広い世界ですべての白人を相手に同じことができるはずだ」。こうして彼は、相手を良く知るための地道な努力を重ね、白人看守からの敬意を勝ち得ていったのです。そして長年の刑務所生活から釈放されたマンデラは、南アフリカ初の黒人大統領に就任しました。

　つらい状況に置かれても、そこは何らかの形であなたを試している場だと考えてみましょう。

偉人たちの名言

汝《なんじ》の最大の敵は汝以外にいない。

［ ロングフェロー ］ 米国の詩人 ｜ 1807－1882

人間というものは、わが身のことになればおのれを甘やかし、たやすく騙されてしまう。

［ マキャヴェッリ ］ イタリアの外交官 ｜ 1469－1527

人間追い詰められると力が出るものだ。こんなにも俺の人生に妨害が多いのを見ると、運命はよほど俺を大人物に仕立てようとしているに違いない。

［ フリードリヒ・フォン・シラー ］ ドイツの詩人 ｜ 1759－1805

もらった分、
誰かに与えよう

Give as much as you have received.

53

もらった分、誰かに与えよう

［ マーク・スピッツ ］ 米国の競泳選手 ｜ 1950－

アテネオリンピックで6個の金メダルを獲得したフェルプスですが、世間の反応は「もうこれ以上は無理だろう」というものでした。しかし、フェルプスと彼のコーチはまだ上を目指せると考えており、そして、もう一人だけ、ためらうことなくフェルプスの可能性に同意する人物がいました。それは、1972年に1大会で7個の金メダルを手にしたマーク・スピッツでした。スピッツは、2007年末の選考会を間近に控えた水泳合宿所に姿を現すと、「フェルプスは北京オリンピックで金メダル8個は確実だ」と誰かれかまわず触れ回り、こう言いました「記録は破られるためにあるんだ」。そして、彼の後押しを受けたフェルプスは、北京オリンピックで8個の金メダルを獲得しました。

スピッツもまた、多くの人に応援され、励まされ、偉大な記録を残したのでしょう。人は、お互いに与え合いながら発展していく存在であることを忘れてはいけません。

偉人たちの名言

人のために仕えているときは、自分が親切を与えていると思わずに、ツケを返していると思うようにせよ。

［ ベンジャミン・フランクリン ］ 米国の政治家 ｜ 1706－1790

真の意味で僕を豊かにしてくれたのは、僕が受け取ったものより多くのものを与えた場合だけでした。

［ サン＝テグジュペリ ］ フランスの作家 ｜ 1900－1944

人生は人間が共同で利用するブドウ畑です。一緒に栽培して、ともに収穫するのです。

［ ロマン・ロラン ］ フランスの作家 ｜ 1866－1944

COMMUNICATION

コミュニケーション

第一印象が勝負

It's all about the first impression.

54

第一印象が勝負

［ マルティン・ルター ］ ドイツの神学者 ｜ 1483－1546

宗教改革の創始者として、信仰と思想に多大な影響を与えたルター。彼は、人々から尊敬される説教者になるには次の 6 つのことがそろってなければならないと言いました。
1.発音のいいこと。　2.雄弁であること。　3.博識であること。4.金をとらず金を与えること。　5.みんなの聞きたい話をすること。そして、6 つ目が「印象の良いこと」でした。熱心な修道生活や祈りと研究に日々を費やした彼も、人を説得するためには「第一印象が重要」であると悟っていたのです。

清潔感のある外見や、礼儀正しさは努力次第で誰にでも身につけることができます。第一印象を磨くことで、多くの人達があなたの言葉に耳を傾けることでしょう。

偉人たちの名言

服装は時に君に代わってものを言う。
［ キングスレイ・ウォード ］ カナダの実業家 ｜ 1932－2014

その日、ひょっとしたら、運命の人と出会えるかもしれないじゃない。
その運命のためにも、できるだけかわいくあるべきだわ。
［ ココ・シャネル ］ フランスのファッションデザイナー ｜ 1883－1971

身に付ける衣服と唇に浮かぶ微笑と物腰が、
人となりを表す。
［ 旧約聖書 ］

甘え上手になろう

Don't be bashful about being overly sweet.

55

甘え上手になろう

［ 直木三十《さんじゅう》五《ご》 ］ 小説家 ｜ 1891－1934

文学の『直木賞』の由来である直木三十五ですが、若いころは文章だけでは食べていけず、暮らしは貧乏でした。しかも直木は借金を抱えていたので、自宅には借金取りがたくさんやってきていたそうです。そしてある日、3人の借金取りが直木宅を訪れていたのですが、直木は言い訳をすることもなくただ黙っていました。そして長い時間が経ってから直木は借金取りに向かって一言、こう言ったそうです。「腹が減ってたまらん。金を貸してくれないか。一緒に食べよう」。借金を催促に来ていた2人は怒って帰りましたが、最後に残った1人は、「しょうがない」と言って笑いながら直木にうどんを食わせてやったそうです。

　もちろん、人に頼ってばかりではなく自立することも大事です。しかし、ときに人に甘えられる余裕が自分の身を助けることがあります。

偉人たちの名言

醜い女はいない。ただ、どうすればかわいく見えるかを知らない女はいる。

［ ラ・ブリュイエール ］ フランスの思想家 ｜ 1645－1696

なんぼ能力があっても、愛嬌のない人間はあきまへん。

［ 松下幸之助 ］ 松下電器創業者 ｜ 1894－1989

われわれは、自分に関心を寄せてくれる人に関心を寄せる。

［ プブリリウス・シュルス ］ 古代ローマの詩人 ｜ BC85－43

なめられてるくらいがいい

Okay to be picked on once in a while.

56

なめられてるくらいがいい

［ 前田利常《としつね》 ］ 江戸時代の武将 ｜ 1594－1658

1605 年に兄の利長から家督を継ぎ加賀藩当主となった前田利常ですが、彼には一風変わった特徴がありました。それは鼻毛の手入れを怠っていたということです。いつも鼻から伸びている毛は周囲の笑いものとなり、家臣たちは恥ずかしい思いをしていました。しかし、実はこれには利常の考えがありました。当時はまだ徳川幕府と外様大名との緊張関係が残っていた時代で、幕府から謀反の疑いをかけられるのを防ぐために、バカにされることで油断させていたのです。利常の治政は、城下町の金沢を整備したり、能登での塩生産を高めるなど、歴史に名を残す名君だったといわれています。

　自分のプライドに固執せず、人からバカにされることを恐れない勇気も大切です。

偉人たちの名言

この世で成功するには、馬鹿のように見えて、
その実、利口でなければならない。

［ モンテスキュー ］ フランスの哲学者 ｜ 1689－1755

自分から遜《へりくだ》ることで、相手を驕《おご》り高ぶらせ、油断させよ。

［ 孫子 ］ 古代中国の武将 ｜ 紀元前 5 世紀頃

人に背中から蹴られているとしたら、
少なくともあなたは人の前に立っていることになる。

［ ビリー・グラハム ］ 米国の牧師 ｜ 1918－

無視されても話しかける

Keep talking even when ignored.

57

無視されても話しかける

［ アン・サリバン ］ 米国の教育者 ｜ 1866－1936

アン・サリバンという家庭教師が、ある７歳の少女のもとにやってきました。その少女は家族の手に負えないほどワガママで、まったく言うことをききませんでした。しかも「しゃべれない、目が見えない、耳が聞こえない」という障害を持っていたために、他人と意思疎通をするのはとても困難だったのです。アンは何度も心が折れそうになりますが、あきらめずにその少女とコミュニケーションを続けます。どんなに暴れたり、拒否されたりしても、献身的に向き合いました。その結果、この少女――ヘレン・ケラーは立派な女性に成長し「サリバン先生は私に光を投げかけてくれた」とのちに語っています。

　思い通りにならない相手でも、根気よく、誠実に対話を続けることで築ける人間関係があります。

偉人たちの名言

もしこちらが親切を続ければ、たとえ良心のひとかけらもない人間でも、必ず受け入れてくれるだろう。
［ マルクス・アウレリウス ］ 古代ローマの皇帝 ｜ 121－180

少なくとも強い友情というものは、
ある不信と抵抗から始まるのが自然らしい。
［ アラン ］ フランスの哲学者 ｜ 1868－1951

理解できない人のことを愚か者と見なしてしまうことが人間にはよくある。
［ カール・グスタフ・ユング ］ スイスの精神科医 ｜ 1875－1961

赤い糸に期待しない

Don't depend on the red string of fate.

Note: According to Japanese myth, the red string of fate connects two soulmates destined to be together.

58 赤い糸に期待しない

［ 盛田昭夫 ］ SONY 創業者 ｜ 1921－1999

ソニーの創業者・盛田昭夫は、ソニーを世界的企業にしたいと考えていました。そのためにはアメリカ市場に進出することが急務であり、アメリカの上流階級に人脈を作らなければなりませんでした。しかし、盛田は出会いをただ待っていたわけではありません。アメリカの上流階級の人間と知り合うためにアメリカに移住し、毎日のようにパーティを催して自宅に知人を招きました。そのパーティは次から次へと人を集め、一流ジャーナリストや政財界の要人がやってくるまでになりました。また同時に盛田はブロードウェイに芝居を見に行き、英語力を磨き、流行語や笑いをマスターしていきました。こうして盛田はアメリカに幅広い人脈をつくり、ソニーを成功へと導いたのです。

運命の赤い糸に期待しすぎてはいけません。自分で運命を切り開きましょう。

偉人たちの名言

我々が我々の運不運をつくる。
そして、我々がこれを運命と呼んでいる。

［ ベンジャミン・ディズレーリ ］ イギリスの政治家 ｜ 1804－1881

人間とは、自分の運命を支配する自由な者のことである。

［ カール・マルクス ］ ドイツの思想家・経済学者 ｜ 1818－1883

私は運命の喉首を締め上げてやる。
決して運命に圧倒されない。

［ ベートーヴェン ］ ドイツの作曲家 ｜ 1770－1827

だいたい同じ方向を見つめるのが、結婚

Marriage is mostly about looking in the same general direction.

59 だいたい同じ方向を見つめるのが、結婚

［ アンナ・スニートキナ ］ ドストエフスキーの妻・速記者 ｜ 1846－1918

ロシアの小説家・ドストエフスキーはギャンブルが大好きでした。ルーレットで財産を使い果たし、生活していくために書かれたのが『賭博者』です。そして、この作品の口述筆記を担当したのが、のちに奥さんとなるアンナでした。

ドストエフスキーは仕事で行き詰まるとギャンブルにおぼれるのが常でしたが、その性格を知っていたアンナは黙って見守りました。そして、ドストエフスキーの求めに応じて家財を質に入れ、気の済むまでギャンブルをやらせたのです。また、彼女は出版社との交渉や、わずらわしい契約などをいっさい引き受け、夫を執筆に集中させました。そうした彼女の姿を見て反省したドストエフスキーは、二度と賭博に手を出すことは無くなったそうです。

相手のすべてを理解することはできなくても、見ている方向が同じであればいつか必ず調和は取れていくものです。

偉人たちの名言

理解し合うためにはお互い似ていなくてはならない。しかし、
愛し合うためには少しばかり違っていなくてはならない。

［ ポール・ジェラルディ ］ フランスの詩人 ｜ 1885－1983

結婚前には両眼を大きく開いて見よ。
結婚してからは片眼をとじよ。

［ トーマス・フラー ］ イギリスの神学者 ｜ 1608－1661

男と女――こうも違った、しかも複雑な二人の人間が、互いによく
理解し愛しあうためには、一生を費やしてもまだ長すぎはしない。

［ オーギュスト・コント ］ フランスの社会学者 ｜ 1798－1857

誰とでも
いい関係は築ける

A good relationship can be developed with anyone.

60

誰とでもいい関係は築ける

［ 税所敦子《さいしょあつこ》 ］ 明治時代の歌人 ｜ 1825－1900

昭憲皇太后に女官として使え、宮内省派の代表歌人の一人とされる税所敦子。彼女は 28 歳で夫と死別すると夫の母の世話をすべく鹿児島に下りました。しかし、この母が鬼婆《おにばば》と称されるほどの人で、敦子にも日々辛く当たったのです。そんなある日のことでした。母が敦子に皮肉を込めてこう言いました。「鬼婆の意地悪なところを歌に詠んでおくれ」。すると敦子はこんな歌を詠んだのです。

「仏にも　まさる心と知らずして　鬼婆なりと人は言うらん」

この歌を聞いて、母は涙を流したといいます。

　どんなに意地悪く見える人にも、心を開く努力をしてみましょう。きっとその気持ちは相手に伝わるはずです。

偉人たちの名言

相手と意見が食い違う時は、敵意をむき出しにしないで、
相手を敬愛している気持ちを、
表情にも行動にも言葉にも表すよう、努めることだ。

［ ポール・ダグラス ］ 米国の政治家 ｜ 1892－1976

たとえ今すぐ相違点を克服できないにしても、少なくとも
多様性を認められるような世界を作る努力はできるはずだ。

［ ジョン・F・ケネディ ］ 第 35 代米国大統領 ｜ 1917－1963

十人中九人までは、深く知ると、前より好感が持てる。

［ フランク・スウィナトン ］ イギリスの作家 ｜ 1884－1982

HOPE

希望

別れは、スタート

Separation leads to a new beginning.

61

別れは、スタート

［ ニコラ・テスラ ］ クロアチアの電気技師・発明家 ｜ 1856－1943

クロアチア生まれの発明家、ニコラ・テスラは、交流電流を用いた電力事業を最初に行った人です。学生時代に交流電流の原理を発見した彼はアメリカに渡り、憧れの発明王・エジソンの会社で働き始めました。しかし、エジソンの会社は直流電流をメインに事業を行っていたため、彼の考えた交流電流のアイデアは受け入れられませんでした。エジソンは直流電流の優位性に絶対の自信を持っていたのです。こうしてテスラは１年ほどで職を失ってしまいましたが、その後、自分で会社を立ち上げて研究につとめ、交流電流における事業を発展させていきました。

偉大な人物同士でも、目指す方向や考え方が異なることはあります。違う道を行くことになったとしても、別れを肯定的にとらえて前に進みましょう。

偉人たちの名言

変化はつらい。だが、ビジネスの世界では避けがたいことだ。
あなたに残されているのは、名残惜しいだろうが
過去に別れを告げることだけだ。

［ ジャック・ウェルチ ］ 米国の実業家 ｜ 1935－

あるものを正しく判断するためには、それを愛したあと、
いくらか離れることが必要だ。

［ アンドレ・ジッド ］ フランスの小説家 ｜ 1869－1951

終わりというものはない。始まりというものもない。
始まりと思うのも自分、終わりだと思うのも自分。

［ フェデリコ・フェリーニ ］ イタリアの映画監督 ｜ 1920－1993

春は、必ずくる

Spring always comes after winter.

62

春は、必ずくる

［ ハリソン・フォード ］ 米国の俳優 ｜ 1942－

俳優になろうと思い立ったハリソン・フォードは、21 歳でハリウッドにやってきました。しかし、オファーが来るのは存在感の薄い端役ばかりで、売れるチャンスは巡ってきませんでした。次第に生活が苦しくなってきた彼は、大工の仕事をして生活費を稼ぎながら、それでも売れる日を夢見て俳優業を続けます。こうして長い年月を費やし、大工としても腕を上げた彼は、ビバリーヒルズに住む映画関係者からも施工を請け負い好評を得ていました。そして 35 歳のとき、大工仕事がきっかけで再会したジョージ・ルーカス監督の『スター・ウォーズ』に抜擢《ばってき》されたことで一躍スターとなったのです。

あきらめず、誠実に続けていれば、必ず報われるときがやってきます。

偉人たちの名言

冬がなければ、春をそんなにも気持ちよく感じない。私たちは時に逆境を味わわなければ、幸福をそれほど喜ばなくなる。

［ シャーロット・ブロンテ ］ イギリスの小説家 ｜ 1816－1855

すべてはきっと好転する。そう信じて、辛抱強く耐え抜こう。耐え抜いたとき、あなたはとてつもない力を手にしていることだろう。

［ マハトマ・ガンディー ］ インドの弁護士・社会運動家 ｜ 1869－1948

運命はつねに、君のためによりよき成功を用意してあるものだ。だから今日失敗する人は、明日成功するのである。

［ セルバンテス ］ スペインの作家 ｜ 1547－1616

ひらめきは、考え続ける
者だけにやってくる

Inspiration comes through deep reflection.

63 ひらめきは、考え続ける者だけにやってくる

［ レオナルド・ダ・ヴィンチ ］ イタリアの芸術家 ｜ 1452－1519

レオナルド・ダ・ヴィンチが『最後の晩餐《ばんさん》』を制作していたとき、どうしてもキリストを裏切ったユダの顔が描けず、最後の一枚を仕上げることができませんでした。そのことに業を煮やした聖グラツィエ寺院の総院長は、「早く仕上げるように」とダ・ヴィンチをせき立てました。そのとき彼はふと思いました。「使徒たちの顔と性格は私が推測して描いた。ユダの顔が描けないのは周りにそういう人物がいないからだ」。そして、そのときダ・ヴィンチはモデルとしてうってつけの人物がいることが分かったのです。それは、目の前にいる聖グラツィエ寺院の総院長でした。こうして彼は総院長をモデルにユダを描き、『最後の晩餐』は出来上がったといわれています。

仕事が行き詰まってもあきらめてはいけません。考え続けていると、アイデアは思いがけないところからやってくるものです。

偉人たちの名言

インスピレーションは決して空虚な心には与えられません。それを得ようと血の滲《にじ》むような苦心、努力をしている心にのみ与えられる尊い賜物《たまもの》です。

［ アルベルト・アインシュタイン ］ ドイツの物理学者 ｜ 1879－1955

発明はすべて、苦しまぎれの智恵だ。アイデアは、苦しんでいる人のみに与えられている特典である。

［ 本田宗一郎 ］ HONDA 創業者 ｜ 1906－1991

発見とは、偶然と準備された心との出会いである。

［ セント＝ジェルジ ］ ハンガリーの生理学者 ｜ 1893－1986

おいしいのは、

ノドが渇いているから

Tastes all the better when thirsty.

64 おいしいのは、ノドが渇いているから

［ 安藤百福 ］ 日清食品創業者 ｜ 1910 - 2007

日清食品の創業者である安藤百福は、GHQ に冤罪をかけられ不当に拘留されたことがありました。そのときに牢屋の中で飢えた経験を通して、「『食』がなければ人間は何も築くことができない」と悟ります。理事長を引き受けていた信用組合が破たんし、46 歳のときに全財産を失った安藤ですが、新たに事業を始めるときに牢屋の中で飢えた経験を思い出し、栄養食を研究するようになりました。そして、安藤は自宅の裏に作った小屋で試行錯誤を繰り返し、インスタントラーメンを発明したのです。安藤が考案した世界初のカップ麺「カップヌードル」は 2011 年の時点で世界 80 ヵ国で発売され、累計 310 億食を突破しました。

苦しい経験があるからこそ、人は何かを実現しようと動き始めます。そして、そのとき手に入れた感動は大きなものとなるのです。

偉人たちの名言

泣いてパンを食べた者でなければ、
人生の本当の味はわからない。

［ ゲーテ ］ ドイツの劇作家 ｜ 1749 - 1832

夢は不満足から生まれる。みち足りた人間は夢を見ない。
人はいかなるところで夢を見るのだろうか。むさくるしいところか、
病院か、牢獄の中で見るのだ。

［ モンテルラン ］ フランスの作家 ｜ 1895 - 1972

苦悩から、歓喜へ。

［ ベートーヴェン ］ ドイツの作曲家 ｜ 1770 - 1827

まぶしい世界へいこう

Go to a brighter place.

65

まぶしい世界へいこう

[福沢諭吉] 慶応義塾創設者 | 1835－1901

福沢諭吉は、子供のころからやってみたいと思ったことをすぐ行動に移す性格でした。「アンモニア水を作ってみたい」と考えた彼は、庭先で実験をして近所で悪臭騒ぎを起こしました。また、自分が学んだオランダ語が外国人に通じるかを試しに横浜へ出向いたとき、世界の主流はオランダ語ではなく英語だと知りました。すると今度はすぐさま英語を学び、「咸臨丸《かんりんまる》」に乗せてもらいアメリカへ渡ります。こうして西洋の文化を肌で感じた諭吉は、帰国後「慶応義塾」を作り、自分が海外で学んだことを若い世代に教え、優秀な人材を輩出していきました。

魅力を感じる世界にどんどん足を踏み入れましょう。それが、自分を最も成長させる方法なのです。

偉人たちの名言

世のなかは君の想像する以上に光にみちている。

[チェスタートン] イギリスの作家 | 1874－1936

既知の世界から未知の世界に行かなければ、
人は何も知ることはできない。

[クロード・ベルナール] フランスの生理学者 | 1813－1878

「未来」は、いくつもの名前を持っている。
弱き者には「不可能」という名。卑怯者には「わからない」という名。
そして勇者と哲人には「理想」という名、である。

[ヴィクトル・ユーゴー] フランスの詩人・小説家 | 1802－1885

人生は、ニャン度でも やり直せる

You can always start over in life.

66 人生は、ニャン度でもやり直せる

［ ヘンリー・フォード ］ フォード・モーター社創業者 ｜ 1863 - 1947

自動車王のヘンリー・フォードは、技術者として働いていたときに自作した自動車を事業化しようと考えました。しかし、初めて設立した会社はたった21台を製造しただけで倒産してしまいます。その次に出資者を得て作った会社では、経営者と折り合いがつかず追放に。それでもあきらめず、3度目に作ったフォード・モーター社で開発したT型フォードが、世界で1500万台以上売れる大ヒット車となりました。ヘンリー・フォードは成功を収めるまでに、5度の無一文を経験したといわれています。

フォードはこう語ります。「将来を恐れるものは失敗を恐れて自分の活動を制限する。しかし、失敗は成長に続く唯一の機会である」。人生には幾度となない困難が訪れるでしょう。しかし、人間は生きている限り、何度でも新たなスタートを切ることができるのです。

偉人たちの名言

99回倒されても、100回目に立ち上がればよい。

［ ヴィンセント・ヴァン・ゴッホ ］ オランダの画家 ｜ 1853 - 1890

あなたの不幸がいかに大きくても、
最大の不幸とは、絶望に屈することでしょう。

［ アンリ・ファーブル ］ フランスの昆虫学者 ｜ 1823 - 1915

楽観主義者はドーナツを見、
悲観主義者はドーナツの穴を見る。

［ オスカー・ワイルド ］ アイルランドの作家 ｜ 1854 - 1900

寝る場所さえ
あれば大丈夫

You'll be alright if you have a place to sleep.

67 寝る場所さえあれば大丈夫

［ ウォルト・ディズニー ］ ウォルト・ディズニー社創業者 ｜ 1901－1966

今や世界中に知れ渡り、エンターテイメントの代名詞となっているディズニーですが、その道のりは順風満帆というわけではありませんでした。1941 年、ディズニースタジオで激しい労働ストライキが起き、スタジオは運営停止に追い込まれそうになります。そのときウォルトは全社員に向けてこう言いました。「この 20 年で、私は 2 度全財産を失った。1 度目はハリウッドに来る前の 1923 年。お金が無くて 3 日間何も食べられず、薄汚いスタジオでぼろ布にくるまって眠った。2 度目は 1928 年。兄のロイと私は、会社のために全財産を抵当に入れた。大した額ではなかったが、それでも我々にとってはすべてだった」。ウォルトは真摯《しんし》に労働者と話し合い、このストライキを収めることができました。

大きな仕事を成し遂げるためには、苦しい状況を経験することもあるでしょう。しかし、「夢」と「寝る場所」さえあれば、人は多くの困難を乗り越えられるものです。

偉人たちの名言

足ることを知る者は富めり。

［ 老子 ］ 古代中国の哲学者 ｜ 紀元前 6 世紀頃

不自由を常と思えば不足なし。

［ 徳川家康 ］ 武将・戦国大名 ｜ 1543－1616

生活は簡単に、思想は高く。

［ ラルフ・ワルド・エマーソン ］ 米国の思想家 ｜ 1803－1882

人生のお楽しみは、
これからだ！

The joy of life begins now.

68 人生のお楽しみは、これからだ!

[レイ・クロック] マクドナルドコーポレーション創業者 | 1902-1984

レイ・クロックがマクドナルド兄弟からフランチャイズ権を買い取り、マクドナルドビジネスに着手したのは、彼が 52 歳のときでした。それまで一介のミキサー販売員としてビジネスに身体を酷使してきた彼は、糖尿病と関節炎を患い、胆のうのすべてと、甲状腺の大半を失っていました。しかし、希望を胸に未来へと邁進《まいしん》し、痛む足をひきずりながら全米の店舗を回り、店舗運営の細部にいたるまでわずかな妥協も許さず、マクドナルドを世界的企業へと導いていったのです。彼は、こんな言葉を残しています。「自分を未熟だと思えれば、いくつになってもみずみずしさを失わず、成長を続けていくことができる。この姿勢でいるかぎり、人生に打ちのめされることはない」。

人生は、あなたがそれを望むかぎり、いつ、いかなる瞬間からでも道を開いてくれます。

偉人たちの名言

人間、志を立てるのに遅すぎるということはない。

[スタンリー・ボールドウィン] イギリスの政治家 | 1867–1947

なぜ引退しないのですかと聞かれたら、私はこう答える。
「じっとしていて錆《さ》びつくより、身を粉にしている方が好きなんだ」

[カーネル・サンダース] ケンタッキーフライドチキン創業者 | 1890–1980

いかに生きるかを学ぶには全生涯を要す。

[セネカ] 古代ローマの哲学者 | BC1–AD65

参考文献 ※順不同

『マリリン・モンローの生涯』フレッド・ローレンス・ガイルズ　中田耕治 訳　集英社
『ヘンリー・フォードの軌跡』ヘンリー・フォード　豊土栄 訳　創英社
『グーグル秘録：完全なる破壊』ケン・オーレッタ　土方奈美 訳　文藝春秋
『旅行記作家マーク・トウェイン：知られざる旅と投機の日々』　飯塚英一　彩流社
『自由への長い道　上・下』ネルソン・マンデラ　東江一紀 訳　日本放送出版協会
『チェーホフ』ヴィリジル・タナズ　谷口きみ子 清水珠代 訳　祥伝社
『博物学の巨人 アンリ・ファーブル』奥本大三郎　集英社
『ヘレン・ケラーはどう教育されたか：サリバン先生の記録』アン・サリバン
　槇恭子 訳　明治図書出版
『なぜビジョナリーには未来が見えるのか？：成功者たちの思考法を
　脳科学で解き明かす』エリック・カロニウス　花塚恵 訳　集英社
『ものづくり魂：この原点を忘れた企業は滅びる』井深大　柳下要司郎 編　サンマーク出版
『日本禁酒運動の八十年』小塩完次　日本禁酒同盟
『トレーニング ア タイガ―：タイガー・ウッズ父子のゴルフ&教育革命』
　アール・ウッズ　大前研一 監訳　小学館
『スティーブ・ジョブズⅠ，Ⅱ』ウォルター・アイザックソン　井口耕二 訳　講談社
『列女伝：伝説になった女性たち』牧角悦子　明治書院
『ワンクリック：ジェフ・ベゾス率いる Amazon の隆盛』リチャード・ブラント
　井口耕二 訳　日経 BP 社
『「一緒に仕事できて良かった！」と部下が喜んで働くチームをつくる 52 の方法』
　エイドリアン・ゴスティック　チェスター・エルトン　匝瑳玲子 訳　日本経済新聞出版社
『40 歳から成功した男たち』佐藤光浩　アルファポリス
『ビル・ゲイツになってやる！』スコット・デガーモ 監修　リチャード・H・モリタ 監訳
　フロンティア出版
『インビクタス：負けざる者たち』ジョン カーリン　八坂ありさ 訳　日本放送出版協会
『フェルマーの最終定理』サイモン・シン　青木薫 訳　新潮社
『大人のための偉人伝』木原武一　新潮社
『心をそだてる　はじめての伝記 101 人』講談社
『伝記人物事典　世界編』西山敏夫 編　保育社
『心にしみる天才の逸話 20』山田大隆　講談社
『人を動かす［名言・逸話］大集成』鈴木健二 篠沢秀夫 監修　講談社
『人を動かす一日一話活用事典』講談社
『世界人物逸話大事典』朝倉治彦 三浦一郎 編　角川書店
『週刊現代』2011.11.5
『週刊新潮』2012.10.4
『月刊 BOSS』2008.7

『日経エンタテインメント』2003.9.20
『世界名言・格言辞典』モーリス・マルー 編　島津智 訳　東京堂出版
『世界名言大辞典』梶山健 編著　明治書院
『世界名言全書 第一巻　幸福と希望と人生』河盛好蔵 編　東京創元社
『世界名言全書 第二巻　友情と恋愛と結婚』河盛好蔵 編　東京創元社
『世界名言全書 第五巻　成功と職業と生活』河盛好蔵 編　東京創元社
『名言名句に強くなる！：ビジネスで使える、会話を豊かに』世界文化社
『愛蔵版　座右の銘』「座右の銘」研究会 編　メトロポリタンプレス
『名文句・殺し文句』伊福部隆彦 編著　潮文社
『フォー・リーダーズ』ウェス・ロバーツ　和田秀樹 監修　渡会圭子 訳　祥伝社
『黄金の言葉：思索する心のために』亀井勝一郎　大和書房
『音楽家の名言』檜山乃武 編著　ヤマハミュージックメディア
『人生に関する439の名言』神辺四郎 編著　双葉社
『人生の指針が見つかる「座右の銘」1300』宝島社
『エジソンの言葉：ヒラメキのつくりかた』浜田和幸　大和書房
『D・カーネギー名言集』ドロシー・カーネギー 編　神島康 訳　創元社
『ギリシア・ローマ名言集』柳沼重剛 編　岩波書店

参考ウェブサイト

名言ナビ　http://www.meigennavi.net/
名言 DB　http://systemincome.com/
ウェブ石碑名言集　http://sekihi.net/
座右の銘にしたい名言集　http://za-yu.com/

写真提供

123RF　2,7,8,13,14,17,20,21,26,27,30,38,41,42,47,54,58,60,65,66
gettyimages　4,11,15,18,19,22,29,31,33,34,36,37,43,46,53,55,59,64
amanaimages　1,6,9,16,40,45,52,61,67
iStockphoto　5,12,23,32,44,48,49,51
shutterstock　10,25,35,39,56,68
Aflo　3,24,28,57,62
corbis/amanaimages　50
PIXTA　63

水野敬也　みずの けいや

慶応義塾大学経済学部卒。
著書には200万部を突破した「夢をかなえるゾウ」(飛鳥新社)ほか、
「人生はワンチャンス!」(共著、文響社)、「夢をかなえるゾウ2　ガネーシャと貧乏神」(飛鳥新社)、「ウケる技術」(共著、新潮文庫)、「四つ話のクローバー」(文響社)、「雨の日も、晴れ男」(文春文庫)、「大金星」(小学館)がある。
また、恋愛体育教師・水野愛也として「『美女と野獣』の野獣になる方法」(文春文庫)、講演DVD「スパルタ恋愛塾」(ポニーキャニオン)や、DVD作品「温厚な上司の怒らせ方」(ビクターエンタテインメント)の企画・脚本など活動は多岐にわたる。

公式ブログ「ウケる日記」 http://ameblo.jp/mizunokeiya/
Twitter アカウント　@mizunokeiya

長沼直樹　ながぬま なおき

日本大学芸術学部卒。学生時代は広告制作とドキュメンタリー表現を学ぶ。ACC学生CMコンクール銀賞受賞。著書に「人生はワンチャンス!」(共著、文響社)がある。

公式ブログ「n_naganumaの日記」 http://d.hatena.ne.jp/n_naganuma/
Twitter アカウント　@n_naganuma

人生はニャンとかなる!　明日に幸福をまねく68の方法

2013年10月25日　第1刷発行
2019年　8月　5日　第25刷発行

著者	水野敬也　長沼直樹
協力	坪井卓　Ji Soo Chun　Kevin Newman
スタッフ	中馬崇尋　大場君人　芳賀愛　須藤裕亮　古川愛　前川智子 清村菜穂子　菅原実優　下松幸樹　谷綾子　大橋弘祐　林田玲奈
装丁	寄藤文平　北谷彩夏
イラスト	北谷彩夏
発行者	山本周嗣
発行所	株式会社 文響社 〒105-0001　東京都港区虎ノ門2-2-5　共同通信会館9F 電話　03-5575-5050　ホームページ　http://bunkyosha.com/
印刷・製本	日本ハイコム株式会社

ISBNコード　978-4-905073-04-8　Printed in Japan
この本に関するご意見・ご感想をお寄せ頂く場合は、郵送またはメール(info@bunkyosha.com)にてお送りください。